EXPLICANDO
AS CARTAS
DE SÃO PAULO

FRANCISCO ALBERTIN

EXPLICANDO AS CARTAS DE SÃO PAULO

EDITORA
SANTUÁRIO

DIRETOR EDITORIAL:
Marcelo C. Araújo

EDITORES:
Avelino Grassi
Márcio F. dos Anjos

COORDENAÇÃO EDITORIAL:
Ana Lúcia de Castro Leite

REVISÃO:
Leila Cristina Dinis Fernandes

DIAGRAMAÇÃO:
Juliano de Sousa Cervelin

CAPA:
Marco Antônio dos Santos Reis

Dados Internacionais de Catalogação na Publicação (CIP)
(Câmara Brasileira do Livro, SP, Brasil)

Albertin, Francisco
 Explicando as Cartas de São Paulo / Francisco Albertin. - Aparecida, SP: Editora Santuário, 2009.

 ISBN 978-85-369-0159-6

 1. Bíblia. N.T. Epístola de Paulo 2. Bíblia. N.T. - Estudo e ensino 3. Bíblia. N.T. - Introduções 4. Teologia - Estudo e ensino I. Título.

09-03307   CDD-225.6

Índices para catálogo sistemático:
 1. Novo Testamento: Bíblia: Epístolas paulinas 225.6

9ª impressão

Todos os direitos reservados à **EDITORA SANTUÁRIO** – 2022

Rua Pe. Claro Monteiro, 342 – 12570-000 – Aparecida-SP
Tel.: 12 3104-2000 – Televendas: 0800 - 0 16 00 04
www.editorasantuario.com.br
vendas@editorasantuario.com.br

Dedico este livro a todos aqueles que entregam suas vidas ao anúncio do Evangelho e caminham no ideal de Paulo: "Eu vivo, mas já não sou que vivo, pois é Cristo que vive em mim" (Gl 2,20).

A Maristela Tezza, "apaixonada por Paulo", pelas sugestões nesta obra, bem como a todos aqueles que me ensinaram com as palavras e com a vida as maravilhas da Palavra de Deus.

Às pequenas mas intensas experiências missionárias, em Divisópolis e Joaíma, no Vale do Jequitinhonha, em Minas Gerais, e a Diocese de Bragança, no Pará, que muito mais do que palavras me ensinaram o que é ter "fome e sede da Palavra de Deus".

INTRODUÇÃO

Eu vivo, mas já não sou eu que vivo, pois é Cristo que vive em mim (Gl 2,20).

Ninguém melhor que Paulo soube entender, com o coração e com a própria vida, os ensinamentos de Jesus. Seus escritos constituem uma verdadeira obra de arte literária e fonte inspiradora para as comunidades cristãs, no seguimento de Jesus, que é amor, justiça, misericórdia e vida. Convidamos você a caminhar conosco e descobrir não só com a mente, mas também com o coração os segredos, os desafios, as lutas, as conquistas e, sobretudo, a fé viva que se revela no amor e na vida das primeiras comunidades cristãs paulinas.

A conversão de Paulo só poderá ser entendida com o coração e quando as trevas se desfizerem pela verdadeira luz; quando a morte cair por terra e fecundar a vida; e quando os projetos humanos se envolverem pela luz e pelos caminhos dos projetos divinos: "'Para você basta a minha graça, pois é na fraqueza que a força manifesta todo o seu poder'. Portanto, com muito gosto, prefiro gabar-me de minhas fraquezas, para que a força de Cristo habite em mim" (2Cor 12,9).

"Anunciar o Evangelho não é título de glória para mim; pelo contrário, é uma necessidade que me foi imposta. Ai de mim se eu não anunciar o Evangelho!" (1Cor 9,16). Paulo foi, sem dúvida, um dos maiores missionários de toda a Igreja de Jesus Cristo, o apóstolo das nações, dos pagãos ou gentios; evangelizou pela palavra e pela sua vida, e inspira hoje o objetivo da V Conferência, o Documento de Aparecida (D.Ap.): "A grande tarefa de proteger e alimentar a fé do povo de Deus, e recordar também os fiéis que, em virtude do seu batismo, são chamados a ser discípulos e missionários de Jesus Cristo".[1] E, para isso, a primeira exigência é para que padres, religiosos, religiosas e fiéis sejam autênticos discípulos e apaixonados por Jesus Cristo (cf. D.Ap. 201), pois "a *missão* nasce do impulso de compartilhar a própria experiência de salvação com outros, de plenitude e de alegria feita com Jesus Cristo".[2] E você é apaixonado(a) por Jesus?

Nossa proposta de escrever este livro não é comentar todos os temas, fazer exegese profunda e um estudo minucioso das análises teológicas e dos diversos comentários sobre as obras Paulinas, e sim despertar, nas pessoas, quem foi o Apóstolo Paulo, conhecendo seu amor, sua paixão, sua experiência e seu encontro com Jesus, para que isso nos inspire a fazer uma experiência pessoal e a viver no ideal de Jesus Cristo, como fez Paulo.

---

[1] CELAM. Documento de Aparecida. *Texto conclusivo da V Conferência Geral do Episcopado Latino-Americano e do Caribe.* Brasília: Edições CNBB. São Paulo: Editora Paulus e Edições Paulinas, 2007, p. 12 (a segunda referência, na sequência, encontra-se na página 99).
[2] CONFERÊNCIA NACIONAL DOS BISPOS DO BRASIL. *Diretrizes Gerais da Ação Evangelizadora da Igreja no Brasil 2008-2010.* Brasília: Edições CNBB 4, 2008, p. 67.

Introdução

É, portanto, uma porta de entrada, uma introdução e visão geral, sendo que começaremos a descrever a vida de Paulo, sua conversão, as mais diversas comunidades, suas cartas e ensinamentos.

Conversando com um sacerdote e falando do projeto de escrever sobre as 13 cartas atribuídas a Paulo, ele assustou-se e disse: "Eu sempre aprendi que são 14 cartas de Paulo". De fato, por muito tempo, realmente se pensou em 14 cartas. Ocorre que, de acordo com os últimos estudos bíblicos, há certo consenso entre os biblistas de que a Carta aos Hebreus "não se trata de carta, mas de discurso; não foi endereçada aos hebreus, mas provavelmente a cristãos de origem judaica; não é de Paulo, mas de autor desconhecido".[3] Há estudos e discussão também sobre se essas 13 cartas foram escritas por Paulo ou se algumas foram escritas depois por alguns de seus discípulos. De modo geral, há consenso de que Romanos, 1 e 2 Coríntios, Gálatas, Filipenses, 1 Tessalonicenses e Filêmon, ou seja, essas sete foram escritas por Paulo. A Carta aos Colossenses é atribuída, atualmente, a Paulo, de acordo com alguns dos maiores estudiosos, conforme veremos ao estudá-la; outros têm suas dúvidas. As Cartas aos Efésios, 2 Tessalonicenses e as chamadas Cartas Pastorais: 1 e 2 Timóteo e Tito, possivelmente foram escritas por algum ou alguns de seus discípulos, sendo atribuída a autoria a Paulo, o que era comum na época.

Se você pegar sua Bíblia, verá que as cartas de Paulo ou as que foram atribuídas a ele começam em Romanos e terminam

---

[3] BORTOLINI, José. *Introdução a Paulo e suas cartas*. São Paulo: Editora Paulus, 2001, p. 80.

9

em Filêmon. De modo geral, começando pela maior e terminando na menor, não seguindo uma ordem cronológica. Lendo este livro, você vai perceber que começaremos a estudar a Primeira Carta aos Tessalonicenses, pois, ao que tudo indica, foi o primeiro escrito de Paulo e também do Novo Testamento, por volta do ano 51. Depois, estudaremos a Segunda Carta aos Tessalonicenses e daí voltaremos à sequência das cartas na Bíblia, deixando a Carta aos Romanos para o final, uma vez que vamos encontrar nela o pensamento e a teologia de Paulo em muitos temas e abordagens. Num primeiro momento, vamos estudar a comunidade correspondente de cada carta e suas características; depois vamos passar aos principais temas (nem todos) abordados nelas por Paulo; faremos assim em todas as cartas. As citações, que não tiverem referências, são da própria carta em estudo. Algumas vezes, vamos colocar o "Saiba mais..." por ser importante na visão geral e no aprofundamento de um determinado tema.

É evidente que Paulo viveu em uma outra cultura, em um outro tempo e em uma outra visão de mundo. Alguns de seus ensinamentos e exortações têm a ver com o contexto de sua época, por isso temos de tomar muito cuidado, pois nem sempre o que ele disse e alguns de seus ensinamentos valem para todos os tempos e lugares, podendo estar condicionados a uma cultura e época. Por outro lado, muitos de seus ensinamentos sobre Jesus Cristo, a fé, o amor, a esperança, a graça, a justiça, bem como o modo de viver e ser de várias comunidades cristãs e seu amor por Jesus Cristo, têm muito a nos dizer hoje.

Introdução

A história de Paulo se mistura com a vida de fé das comunidades e com o ideal de Jesus Cristo. Sua vida, sua fé e seu amor, bem como a entrega total de sua vida em favor do Evangelho e do Reino de Deus, têm muito a nos dizer e ensinar.

Que ele nos inspire não só a dizer, mas também a vivenciar o seu ideal de vida: "Eu vivo, mas já não sou eu que vivo, pois é Cristo que vive em mim..." (Gl 2,20).

***

Foi publicada, pela Editora Santuário, a série intitulada "Explicando a Bíblia", que contém os seguintes livros:

1. *Explicando o Antigo Testamento*. A obra comenta a maneira como Deus caminha com seu povo; descreve, de um modo geral, cada um dos 46 livros do Antigo Testamento, as mais belas histórias, profecias, leis e costumes. Livro essencial para introduzir e entender bem o Novo Testamento.

2. *Explicando o Novo Testamento: os evangelhos de Marcos, Mateus, Lucas e Atos dos Apóstolos*. Essa obra comenta os diversos ensinamentos de Jesus, suas parábolas, milagres, sua bondade acima de tudo, o amor de Deus, que enviou seu Filho Jesus para nos salvar, e isso foi narrado por Marcos, Mateus e Lucas, que também escreveu os Atos dos Apóstolos e descreveu a caminhada das primeiras comunidades cristãs.

3. *Explicando as Cartas de São Paulo*. A obra descreve a vida de Paulo, sua conversão, suas viagens com os mapas, todas as suas cartas e seus principais temas e ensinamentos. Ninguém

melhor que Paulo soube entender, com o coração e com a própria vida, os ensinamentos de Jesus. Sua linda e emocionante história mistura-se com a vida de fé das primeiras comunidades e nos inspira a ser discípulos(as) missionários(as) de Jesus Cristo.

4. *Explicando o Evangelho de João e as Cartas de: João, Hebreus, Tiago, Pedro e Judas.* A obra explica, em detalhes, os ensinamentos de Jesus e seus sinais no Evangelho escrito por João, a nova criação, a nova páscoa, a nova e eterna aliança, o misterioso discípulo amado, a força e o papel essencial das mulheres e discípulas amadas por Jesus e testemunhas de sua ressurreição, bem como o segredo maior do novo mandamento: "amai-vos uns aos outros assim como eu vos amei". E ainda há a riqueza e os ensinamentos das Cartas de João, Hebreus, Tiago, Pedro e Judas.

5. *Explicando o Apocalipse.* É uma obra fascinante que revela a importância da fé, da esperança, da profecia, da luta e da vitória. Na batalha entre o Dragão, que simboliza toda a força do mal, contra o Cordeiro, que é Jesus, fica evidente que o bem sempre vence o mal. Mas, para entender o Apocalipse, faz-se necessário tirar o véu que envolve suas visões. O autor explica, de maneira simples e teológica, o significado dessas visões, sonhos, símbolos, figuras estranhas e enigmas, e revela o projeto de Deus na vida e na história da humanidade. O leitor vai entender o Apocalipse com seus ideais e sonhos, e perceberá que seguindo o caminho de Jesus, ainda hoje, é possível construir um Novo Céu e uma Nova Terra.

O Autor

1. A VIDA E A OBRA DE PAULO

Pois, para mim viver é Cristo (Fl 1,21).

Essa afirmação de Paulo é fundamental para entender a sua história e a sua vida. Muitas coisas aconteceram antes disso para que Saulo, um judeu autêntico e fiel à Lei judaica, pudesse fazer essa verdadeira confissão de fé cristã.

1. Paulo, o judeu

Em seus escritos, Paulo mesmo conta sua história. Porém, vamos utilizar também as informações de Lucas,[1] no livro dos Atos dos Apóstolos, ao que tudo indica, Lucas foi,

---

[1] Há um consenso entre os estudiosos e a tradição da Igreja de que Lucas é o autor do livro dos Atos dos Apóstolos. Sobre Lucas ter viajado com Paulo, embora alguns questionem se é o mesmo quem escreveu, podemos perceber quando Paulo diz: "Somente Lucas está comigo" (2Tm 4,11). Ele também manda saudações a Lucas na Carta a Filêmon (v. 24), como sendo seu colaborador, e faz referência a "Lucas, o querido médico" (Cl 4,14). Sendo o mesmo ou não, o

por algum tempo, companheiro de missão nas viagens de Paulo, embora alguns até questionem se este Lucas é o mesmo quem escreveu o Atos dos Apóstolos. Seja como for, neste livro, vamos encontrar muitas informações importantes sobre a vida e obra daquele que podemos chamar de o maior missionário de Jesus Cristo.

O nome Saulo era muito comum em Israel e entre os judeus que viviam na "diáspora", isto é, aqueles que viviam fora da Palestina, pois lembrava o primeiro rei de Israel que se chamava Saul, por volta do ano 1030 a.C.

Paulo diz: "Fui circuncidado no oitavo dia, sou israelita de nascimento, da tribo de Benjamim, hebreu filho de hebreus..." (Fl 3,5). Sua data de nascimento é incerta.[2] Todavia, há certo consenso de que ele nasceu entre os anos 5-10 d.C.

---

importante são as informações que este livro proporciona com relação à missão de Paulo, por ser uma leitura "teológica" das primeiras comunidades cristãs. Conforme veremos ao longo deste livro, Paulo foi o primeiro a escrever sobre as comunidades cristãs (a partir de 51), e Atos dos Apóstolos foi escrito por volta do ano 90.

[2] "O nascimento de Paulo deve ter acontecido por volta do ano 5 da nossa era", in BORTOLINI, José. *Introdução a Paulo e suas cartas*. São Paulo: Editora Paulus, 2001, p. 8. "A primeira (viagem) começou no ano 46, quando Paulo estava com quarenta e um anos de idade", in MESTERS, Carlos. *Paulo Apóstolo – um trabalhador que anuncia o Evangelho*. 10ª ed. São Paulo: Editora Paulus, 2008, p. 37. O Papa Bento XVI afirma que o ano Paulino – 28 de junho de 2008 a 28 de junho de 2009 – é "por ocasião do bimilenário de seu nascimento, inserido pelos historiadores entre os anos 7 e 10 d.C.", in PAPA BENTO XVI. *Revista vida pastoral*. São Paulo: Editora Paulus, ano 49, n. 260, p. 5, mai./jun. 2008.

"Eu sou judeu. Nasci em Tarso da Cilícia..." (At 22,3). Tarso era uma importante cidade e capital da província romana da Cilícia, localizada na Ásia Menor, atual Turquia. Tinha por volta de 300 mil habitantes e era um importante centro cultural e comercial. Tinha um porto muito movimentado e era uma das cidades que fazia ligação entre o Oriente e o Ocidente. "A grande importância dada a Tarso pelos romanos é confirmada pela concessão da cidadania romana aos principais líderes da cidade [...]. Essa é a explicação mais simples para a cidadania romana que Paulo teve por hereditariedade (At 22,27-28)".[3] Todavia isto é uma hipótese.

Pouco ou quase nada sabemos sobre a infância de Saulo ou Paulo, que é a mesma pessoa, pois "O uso de um nome grego ou latino adicionado em lugar de um nome judaico era comum entre os judeus da Diáspora".[4] Como todo menino judeu, aprendeu com os pais e na sinagoga a história de um Deus único e criador, e a formação básica consistia em "aprender a ler e escrever; estudar a Lei de Deus e a história do povo; assimilar as tradições religiosas; aprender as orações, sobretudo os salmos. O método era: pergunta e resposta; repetir e decorar; disciplina e convivência".[5]

---

[3] Murphy-O´Connor, Jerome. *Paulo de Tarso: história de um apóstolo*. Tradução de Valdir Marques. São Paulo: Editora Paulus e Loyola, 2007, p. 26.
[4] Mackenzie, Jonh L. *Dicionário Bíblico*. Tradução de Álvaro Cunha *et al*. 4ª ed. São Paulo: Editora Paulus, 1984 – verbete Paulo, p. 700.
[5] Mesters, Carlos. *Paulo Apóstolo – um trabalhador que anuncia o Evangelho*. 10ª ed. São Paulo: Editora Paulus, 2008, p. 16.

15

Estamos diante de um Paulo que era um fariseu zeloso e radical. Você, cristão ou cristã, que sabe que até os 10 mandamentos são difíceis de serem vivenciados e há muitas pessoas que não os sabem de cor, agora imagine Paulo, que seguia a Lei judaica com 613, isto mesmo, 613 preceitos que deveriam ser obedecidos e vivenciados!

Como é de seu conhecimento, Paulo também perseguia os cristãos. "Certamente vocês ouviram falar do que eu fazia quando estava no judaísmo. Sabem como eu perseguia com violência a Igreja de Deus e fazia de tudo para arrasá-la" (Gl 1,13).

Estêvão foi apedrejado e morto por defender a fé em Jesus Cristo, e "Saulo era um daqueles que aprovavam a morte de Estevão..." (At 8,1).

Saulo só respirava ameaças e morte contra os discípulos do Senhor. Ele apresentou-se ao sumo sacerdote e lhe pediu cartas de recomendação para as sinagogas de Damasco, a fim de levar presos para Jerusalém todos os homens e mulheres que encontrassem seguindo o Caminho (At 9,1-2).

Mas é justamente no caminho de Damasco que Aquele quem disse: "Eu sou o Caminho, a Verdade e a Vida" (Jo 14,6) vai traçar um outro caminho para aquele que estava no erro. As trevas vão transformar-se em luz, e a morte, que cai por terra, vai germinar Vida em plenitude.

2. O ENCONTRO DE PAULO COM JESUS: A CONVERSÃO

Durante a viagem, quando já estava perto de Damasco, Saulo se viu repentinamente cercado por uma luz que vinha do céu. Caiu por terra, e ouviu uma voz que lhe dizia: "Saulo, Saulo, por que você me persegue?" Saulo perguntou: "Quem és tu, Senhor?" A voz respondeu: "Eu sou Jesus, a quem você está perseguindo. Agora, levante-se, entre na cidade, e aí dirão o que você deve fazer". Os homens que acompanhavam Saulo ficaram cheios de espanto, porque ouviram a voz, mas não viam ninguém. Saulo se levantou do chão e abriu os olhos, mas não conseguia ver nada. Então o pegaram pela mão e o levaram para Damasco. E Saulo ficou três dias sem poder ver, e não comeu nem bebeu nada (At 9,3-9).

Quando as trevas se desfazem diante da luz, quando o ódio é vencido pelo amor, quando a morte se encontra com a vida, quando os projetos humanos caem por terra e se deixam levantar os projetos divinos e, principalmente, quando se abrem os olhos e não se consegue ver mais nada, o ideal é seguir o coração, pois "Só se vê bem com o coração. O essencial é invisível aos olhos".[6]

---

[6] SAINT-EXUPÉRY, Antoine de. *O Pequeno Príncipe*. Tradução de Dom Marcos Barbosa. 48ª ed. Rio de Janeiro: Editora Agir, 2002, p. 72.

17

Diria a você que é impossível entender a conversão de Paulo utilizando apenas a razão. Hoje, só se tem valor o que é comprovado cientificamente; a última palavra parece ser da razão e pouca importância se dá à fé, à experiência interior, ao íntimo dos mais íntimos, que é o coração. Paulo teve muitas outras experiências com o coração, quando pôde sentir e convencer-se do que Jesus lhe dizia: "Para você basta a minha graça, pois é na fraqueza que a força manifesta todo o seu poder" (2Cor 12,9). Paulo estava a caminho, e, no caminho de sua vida, as trevas, que o envolviam, de repente se deparam com uma luz que vinha do céu. Essa luz é o próprio Jesus. Paulo caiu por terra. Uma expressão tipicamente popular e significativa é que "Paulo caiu do cavalo", no sentido de mudança, de saber que estava errado e que devia seguir outro rumo. Muitos hoje ainda dizem: "caí do cavalo", quando esperam uma coisa e acontece outra bem diferente. Todavia, na Bíblia, não aparece o cavalo. Pode supor-se que, na hipótese de estar a cavalo, poderia de fato ter caído. Mas, na época, havia outros meios de viajar: caravanas, barcos, a pé etc. Porém, aqui, a queda é interior e se dá no nível da cabeça (intelecto, mente) e dos olhos para o coração. "O Novo Testamento, por sua vez, traduziu o 'retornar' dos profetas como *metanoia,* ou seja, mudança de mentalidade e de visão. Nesse sentido, pode-se falar de conversão de Paulo".[7] A voz

---

[7] BORTOLINI, José. *Introdução a Paulo e suas cartas.* São Paulo: Editora Paulus, 2001, p. 30.

vai dizer: "'Saulo, Saulo, por que você me persegue?' Saulo perguntou: 'Quem és tu, Senhor?' A voz respondeu: 'Eu sou Jesus, a quem você está perseguindo'" (At 9,4-5). Ora, Saulo, pois Paulo é nome em grego, e Saulo, hebraico. Como já vimos, era comum ser alterado, por ele estar vivendo fora da Palestina. E vai perguntar "Quem és tu, Senhor", já o reconhecendo como "Senhor", sendo que a resposta vem em seguida: "Eu sou Jesus, a quem você está perseguindo". Paulo estava perseguindo não Jesus, e sim os seus seguidores. No entanto, é bem claro que Jesus está presente e se identifica totalmente com a comunidade, eis que já havia dito:

> Onde dois ou três estiverem reunidos em meu nome, eu estou aí no meio deles (Mt 18,20).
>
> Eu garanto a vocês: todas as vezes que vocês fizeram isso a um dos menores de meus irmãos, foi a mim que o fizeram. [...] Todas as vezes que vocês não fizeram isso a um desses pequeninos, foi a mim que não o fizeram (Mt 25,40.45).
>
> Eis que eu estarei com vocês todos os dias, até o fim do mundo (Mt 28,20).

Repare que Paulo caiu por terra e, quando se levantou do chão e abriu os olhos, não conseguia ver nada e ficou ainda três dias sem poder enxergar. "Três dias sem poder ver" e "cair por terra" podem ser no sentido de Paulo morrer para o pecado, para as trevas e para os erros. E, ao entrar em contato com a comunidade cristã, na pessoa de Ananias, que lhe impõe as mãos no sentido de bênção, transmissão de poder e cura, ele recupera a vista, é batizado e fica cheio do Espírito Santo. Na comunidade, ele faz a experiência de Jesus, quando ficou três dias morto e ressuscitou para uma vida nova. A exemplo de Jesus, Paulo também passou três dias nas trevas e agora passa a ter uma vida nova. Morreu o Paulo, que perseguia e gerava morte, para nascer o Paulo, que segue Jesus, que é vida e amor.

Paulo vai dizer: "Deus, porém, me escolheu antes de eu nascer e me chamou por sua graça. Quando ele resolveu revelar em mim o seu Filho, para que eu o anunciasse entre os pagãos..." (Gl 1,15-16).

Paulo devia ter por volta de 28 anos de idade no momento de sua conversão. Sempre é difícil colocar uma data precisa, pois não temos documentos que possam ser totalmente confiáveis. No entanto, muitos autores que escreveram sobre Paulo colocam esse acontecimento em torno de três ou quatro anos após a morte de Jesus, que ocorreu por volta do ano 30. A conversão, possivelmente, aconteceu por volta do ano 34-35.[8]

---

[8] Sobre a concordância de ter ocorrido, por volta do ano 34-35, a conversão de Paulo, veja HAWTHORNE, Gerald F.; MARTIN, Ralph P.; REID, Daniel G. (Org.). *Dicionário de Paulo e suas cartas*. Tradução de Bárbara Theoto Lambert. São Paulo: Editora Vida Nova, Paulus e Loyola, 2008. Verbete Cronologia de Paulo, de L. C. A. Alexander, p. 352. Ainda sobre outras concordâncias de data, temos: MESTERS, Carlos. *Paulo Apóstolo – um trabalhador que anuncia o Evangelho*. 10ª ed. São Paulo: Editora Paulus, 2008, p. 24; BORTOLINI, José. *Introdução a Paulo e suas cartas*. São Paulo: Editora Paulus, 2001, p. 29; CARREZ, M.; DORNIER, P.; DUMAIS, M.; TRIMAILLE, M. *As cartas de Paulo, Tiago, Pedro e Judas*. Tradução de Benôni Lemos. 2ª ed. São Paulo: Editora Paulus, 1987, p. 29. As muitas outras datas e informações cronológicas, vamos seguir estes autores sem citá-los todas as vezes.

3. PAULO, O CRISTÃO

Muitos pensam que Paulo se converteu, que se tornou cristão, que deixou o judaísmo e saiu imediatamente anunciando Jesus Cristo e fundando comunidades cristãs como se fosse algo automático. Não foi bem assim. Na verdade, houve um longo processo que levou anos, isto mesmo, anos. Torna-se um missionário da comunidade de Antioquia. Vamos ver o que o próprio Paulo nos diz sobre isso:

> [...] fui para a Arábia, e depois voltei para Damasco. Três anos mais tarde, fui a Jerusalém para conhecer Pedro, e fiquei com ele quinze dias. Entretanto, não vi nenhum outro apóstolo, a não ser Tiago, o irmão do Senhor. Deus é testemunha: o que estou escrevendo a vocês não é mentira. Depois fui para as regiões da Síria e da Cilícia, de modo que as igrejas de Cristo na Judeia não me conheciam pessoalmente. Elas apenas ouviam dizer: "Aquele que nos perseguia, agora está anunciando a fé que antes procurava destruir". E louvavam a Deus por minha causa (Gl 1,17-24).

Foram por volta de 12 ou 13 anos sem que se tivessem informações precisas e seguras do que fez Paulo e qual teria sido a sua missão. Ao que tudo indica,

> ele deve ter participado normalmente da vida da comunidade; deve ter anunciado o Evangelho e contri-

buído para a expansão e o crescimento das comunidades na Síria, na Arábia e na Cilícia; deve ter exercido sua profissão para ter o que comer e com o que se vestir.⁹

Mas qual era a profissão de Paulo? Atos nos diz que Paulo foi morar com um judeu chamado Áquila e sua esposa Priscila. "E como eram da mesma profissão – fabricantes de tendas – Paulo passou a morar com eles, e trabalhavam juntos" (At 18,3). Paulo mesmo diz: "Irmãos, vocês ainda se lembram dos nossos trabalhos e fadigas. Pregamos o Evangelho a vocês trabalhando de noite e de dia, a fim de não sermos de peso para ninguém" (1Ts 2,9); "e nos esgotamos, trabalhando com nossas próprias mãos..." (1Cor 4,12). Paulo trabalhava e muito, pois, além de seu trabalho, ainda viajava constantemente e anunciava o Evangelho a todos.

4. Paulo, o missionário

Paulo foi um missionário exemplar, pois anunciava Jesus Cristo de um modo apaixonado, e não só com palavras, mas sim com a própria vida.

Começa uma nova etapa e uma nova missão, quando o próprio Espírito Santo o escolhe, juntamente com Barnabé,

---

⁹ Mesters, Carlos. *Paulo Apóstolo – um trabalhador que anuncia o Evangelho.* 10ª ed. São Paulo: Editora Paulus, 2008, p. 35.

para evangelizarem judeus, pagãos e gentios. A Igreja de Antioquia, na Síria, reza e impõe as mãos sobre os dois, pois a ordem do Espírito Santo era: "'Separem para mim Barnabé e Saulo, a fim de fazerem o trabalho para o qual eu os chamei'. Enviados pelo Espírito Santo, Barnabé e Saulo desceram à Selêucia e daí navegaram para Chipre" (At 13,2.4). Ao que tudo indica, Paulo tinha por volta de 41 anos de idade e isso ocorreu no ano 46 d.C.

Mas podemos perguntar: Como eram essas viagens? Como anunciavam Jesus Cristo se, naquela época, ele era desconhecido? E os judeus não acusariam Paulo de traidor? Como se alimentavam e se mantinham? Quanto tempo ficavam em uma cidade? Como faziam para fundarem uma comunidade cristã? São perguntas que, ao longo dessas viagens, serão respondidas.

Não era fácil viajar, ao contrário, era muito difícil e complicado. Começando pela maneira de viajar, pois não havia carro, muito menos avião; as estradas eram de terra e havia ladrões e animais selvagens; as estalagens ou pensões eram inseguras, a comida e hospedagem ficavam muito caras; quando se viajava via mar, os barcos também não ofereciam seguranças e podiam naufragar. Paulo sempre viajava com companheiros da comunidade cristã e, em sua primeira viagem, está ao lado de Barnabé e João (Marcos). "Viajar naquele tempo era difícil. Por terra, tinha de ser a pé ou no lombo de animal, ou de carroça por estradas infames. Por mar, tinha de ser em barco à vela ou a remo."[10] Quando viajavam a pé, poderiam abrigar-se em estalagens que não eram nada seguras.

Nas estradas romanas da Ásia Menor havia estalagens a cada 35 quilômetros, distância percorrida mais ou menos num dia a pé. [...] Os de menos recursos tinham de dividir um quarto com estranhos. [...] Não é preciso insistir que era muito fácil roubar. [...] Se a hospedaria ficasse num local isolado, um grupo de bandidos não hesitaria em atacá-la.[11]

Tente só imaginar como seria uma viagem da cidade de Paulo, que era Tarso, na Cilícia, até Jerusalém, em Israel, uma distância em torno de 800 km. Gastar-se-ia quase um mês, pois poderia haver contratempos e era quase impossível caminhar todos os dias a pé, sem descansar. Além do mais, como ficariam caras, nessa viagem, a comida e a hospedaria, isto sem contar os outros perigos. Hoje é fácil viajar, pois de carro, numa velocidade de 80 km por hora, é possível percorrer 800 km em 10 horas, mas, naquela época, era complicadíssimo.

O que eles faziam quando chegavam a uma cidade para anunciar Jesus Cristo? Possivelmente, num primei-

---

[10] CEBI. *Paulo e suas cartas*. Roteiros para reflexão X. São Leopoldo-RS: Cebi. São Paulo: Editora Paulus, 2000, p. 14.
[11] Murphy-O´Connor, Jerome. *Paulo de Tarso: história de um apóstolo*. Tradução de Valdir Marques. São Paulo: Editora Paulus e Loyola, 2007, p. 72.

ro momento, tinham de arrumar um local para ficarem e para terem uma referência, ou apelavam para a hospitalidade, que era tão comum no oriente, ou para as hospedarias. Mas, com o passar do tempo e formando cristãos, poderiam ficar na casa de alguém da comunidade. Dependendo do tempo que iam permanecer numa cidade, tinham de arrumar trabalho para garantir o sustento e os custos das viagens. É comum, em Paulo, evangelizar primeiro nas sinagogas dos judeus, pois esse era um dos objetivos na primeira viagem, mesmo porque lá poderiam ter pagãos tementes a Deus (cf. At 13,14; 14,1; 17,1-2 etc.).

Depois que tinham já convertido algumas pessoas, formava-se uma comunidade cristã; procuravam uma casa maior para a reunião e para celebrar a ceia do Senhor; anunciavam Jesus Cristo e deixavam pessoas encarregadas para coordenar tal comunidade.

4.1. Principais acontecimentos da primeira viagem (46-48)

E quais foram os principais acontecimentos e o percurso traçado na primeira viagem? Se você quiser, podemos ver juntos. Para isso, pegue sua Bíblia, em Atos dos Apóstolos, capítulos 13 e 14, e também uma folha de papel e caneta. Será uma experiência diferente e você vai entender melhor os detalhes dessa viagem e a força da Palavra de Deus. Depois, você poderá acompanhar a viagem pelo mapa do livro.

O ponto de partida é a Igreja de Antioquia, na Síria (cf. 13,1), e começa a viagem.

1. Chegam a Salamina, que fica na ilha de Chipre, terra natal de Barnabé (cf. 4,36), e lá anunciam a Palavra de Deus nas sinagogas dos judeus e tem João (Marcos) como ajudante (cf. 13,5).

2. Vão até Pafos, onde Paulo critica a ação do mago Elimas, e o procônsul Sérgio Paulo abraça a fé (cf. 13,6-12).

3. Fazem uma pequena parada em Perge da Panfília, onde João (Marcos) separa-se deles, ficando Paulo e Barnabé, os quais vão para a Antioquia da Pisídia (cf. 13,13-14), uma cidade diferente de Antioquia (Síria), de onde saíram. Aqui, há um belíssimo discurso de Paulo (cf. 13,16-41), o qual seria bom que você o lesse todo. Em resumo, ele diz que Deus cumpriu a promessa que fez aos antepassados, anunciada pelos profetas de que Jesus é o Filho de Deus, o Messias (ungido) esperado para dar a todos a salvação, e Deus o ressuscitou dos mortos. No sábado seguinte, os judeus ficam com inveja, perseguem e expulsam Paulo e Barnabé, e estes declaram: "Era preciso anunciar a palavra de Deus, em primeiro lugar para vocês, que são judeus. Porém, como vocês a rejeitaram e não se julgam dignos da vida eterna, saibam que nós vamos dedicar-nos aos pagãos" (13,46). Apesar das dificuldades, o resultado foi bom: "Os pagãos ficaram muito contentes quando ouviram isso, e começaram a elogiar a pa-

lavra do Senhor. E todos os que estavam destinados à vida eterna abraçaram a fé. Desse modo, a palavra do Senhor se espalhava por toda a região" (13,48-49).

4. Vão para Icônio, pregam na sinagoga, e uma grande multidão de judeus e gregos abraça a fé. Permanecem longo tempo e, ao saberem que poderiam ser apedrejados, fogem (cf. 14,1-6).

5. Vão para Listra (cf. 14,8-20), onde há um homem paralítico, e Paulo observa que ele tem fé e diz: "Levante-se direito sobre os seus pés", e ele começa a andar. É a Palavra de Deus que quer libertar e dar vida nova às pessoas. Os sacerdotes de Júpiter querem oferecer-lhe um sacrifício, mas Paulo e Barnabé criticam a idolatria: "Vocês precisam deixar esses ídolos vazios e se converter ao Deus vivo, que fez o céu, a terra, o mar e tudo o que neles existe" (14,15); Paulo é apedrejado e arrastado para fora da cidade e recebe solidariedade dos "discípulos".

6. Vão para Derbe, anunciam o Evangelho (Boa-Nova, palavra de Deus) e ganham numerosos discípulos (cf. 14,20-21). Derbe é o ponto final da viagem, e começam a voltar.

Paulo e Barnabé voltaram para Listra, Icônio e Antioquia. Eles fortaleciam o ânimo dos discípulos, exortando-os a perseverarem na fé e dizendo-lhes que é preciso passar por muitas tribulações para entrar no Reino de Deus. Os apóstolos designaram anciãos para cada comunidade; rezavam, jejuavam e os confiavam ao Senhor, no qual haviam acreditado (14,21-23).

Depois de atravessarem as regiões da Pisídia e Panfília, anunciam a Palavra em Perge, vão para o porto de Atália e, finalmente, chegam ao ponto de partida e, agora, destino final: Antioquia da Síria.

Paulo e Barnabé estavam radiantes e felizes: "Quando chegaram a Antioquia, reuniram a comunidade e contaram tudo o que Deus havia feito por meio deles: o modo como Deus tinha aberto a porta da fé para os pagãos" (14,27).

O fim da primeira viagem durou quase dois anos (46-48). Veja o mapa dessa viagem:

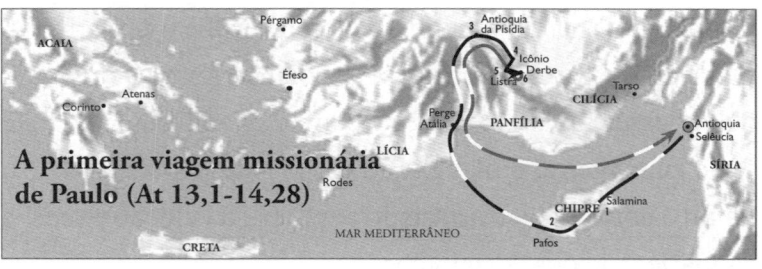

Antes da segunda viagem, Paulo e Barnabé foram a Jerusalém para resolverem uma questão de conflito em alguns aspectos da evangelização: "Tiago, Pedro e João, considerados como colunas, reconheceram a graça que me fora concedida, estenderam a mão sobre mim e Barnabé em sinal de comunhão: nós trabalharíamos com os pagãos, e eles com os circuncidados" (Gl 2,9). Sobre os detalhes dessa assembleia (concílio), vamos abordá-los na Carta aos Gálatas.

4.2. A segunda viagem missionária: A palavra de Deus chega até a Europa (49-52)

A segunda viagem sai novamente de Antioquia (Síria), passa por cidades da Ásia e chega até a Europa, e dura mais tempo. Se você quiser acompanhar novamente toda essa trajetória, pegue sua Bíblia, em Atos dos Apóstolos 15,36–18,22, e siga o itinerário pelo mapa dessa viagem. Agora, vamos ser mais objetivos e não entrar tanto em detalhes, pois, logo na sequência deste livro, vamos abordar alguns dos principais temas nas mais diversas comunidades que Paulo fundou.

O fato é que Paulo e Barnabé se separam devido a alguns desentendimentos. Barnabé vai com João (Marcos), e Paulo, com Silas.

1. Atravessam a Síria e a Cilícia, dando nova força às igrejas (cf. 15,41).

2. Vão para Derbe e Listra, sendo que, nesta última, Paulo chama um discípulo de nome Timóteo, que se torna seu companheiro de missão (cf. 16,1-4).

3. Atravessam a Frígia e a região da Galácia (cf. 16,6).

4. Vão para Mísia e descem para Trôade, onde, durante a noite, Paulo tem uma visão: na sua frente, estava de pé um macedônio que dizia: "Venha à Macedônia e ajude-nos!". Paulo estava convencido de que Deus o chamava para anunciar a Boa Notícia ou o Evangelho lá (cf. 16,7-10).

5. Embarcam em Trôade, vão para a ilha de Samotrácia e ancoram em Neápolis e, finalmente, chegam a Filipos, na Euro-

pa, que era uma das principais cidades da Macedônia e colônia romana. Próximo a um rio, encontram com um grupo de mulheres, dentre elas Lídia, que é batizada, juntamente com toda a sua família. Paulo liberta uma escrava, que tinha espírito de adivinhação, e mexe com as estruturas do poder, e é açoitado e preso, junto com Silas. Na prisão, o carcereiro é tocado pela graça de Deus e quer ser salvo, e Paulo e Silas lhe dizem: "Acredite no Senhor Jesus, e serão salvos você e todos os da sua casa". Em seguida, ele e os seus são batizados. Como lá não havia sinagoga, a Igreja começou a se reunir na casa de Lídia (cf. 16,11-40).

6. Vão para a Tessalônica e anunciam na sinagoga que o Messias,[12] o "Ungido" ou o Filho de Deus, devia morrer e ressuscitar dos mortos e que "'O Messias é este Jesus que eu anuncio a vocês'" (17,3). Alguns judeus se convertem, bem como um bom número de gregos e mulheres da alta sociedade (cf. 17,1-9).

7. Vão para Bereia e os dali acolhem bem a Palavra, e conseguem muitas pessoas que abraçam a fé. Devido a alguns conflitos, Paulo vai para Atenas (Grécia), Silas e Timóteo permanecem em Bereia e depois vão para Atenas também (cf. 17,10-15).

---

[12] Se você deseja saber o que significa "Messias" e toda a sua história e sua espera por parte dos judeus, bem como o que o próprio Jesus falou sobre ser o "Messias", leia o livro de minha autoria: ALBERTIN, Francisco. *Explicando o Novo Testamento – Os Evangelhos de Marcos, Mateus, Lucas e Atos dos Apóstolos*. Aparecida: Editora Santuário, 2008, p. 46-48. E ainda o nosso artigo: FERREIRA, Joel A.; ALBERTIN, Francisco; TEZZA, Maristela. "O Messias de Quelle, Marcos e Mateus", in *Fragmentos de Cultura*. Goiânia, vol. 16, n. 5/6, p. 447-463, mai./jun. 2006.

8. Em Atenas, cidade famosa pela sua cultura e principalmente por ser o berço da filosofia, Paulo vai fazer um discurso no Areópago, um local para se fazer discurso, na colina de Ares. Vale a pena ler todo o discurso (17,22-34), em que Paulo elogia os atenienses e começa falando que viu um altar com a inscrição "Ao Deus desconhecido", e que esse Deus é o que ele anuncia, aquele que enviou seu Filho Jesus, que morreu e ressuscitou. "Quando ouviram falar de ressurreição dos mortos", pois não acreditavam, começaram a caçoar de Paulo. Foi um fracasso.

9. Paulo vai para Corinto e encontra Áquila e sua esposa Priscila que, a exemplo dele, tinham a mesma profissão: fabricantes de tendas. Num primeiro momento, Paulo mora e trabalha com eles. Depois, chegam Silas e Timóteo. E Paulo tem uma visão: o Senhor pede a ele para continuar a falar, pois naquela cidade há um povo numeroso que lhe pertence. "Assim, Paulo ficou um ano e meio entre eles, ensinando a Palavra de Deus" (cf. 18,1-18).

10. Paulo, em companhia de Áquila e Priscila, vai para Éfeso, conversa com judeus e diz: "Voltarei de novo para junto de vocês, se Deus quiser" (cf. 18,18-21).

11. "Desembarcando em Cesareia, foi saudar a igreja e depois desceu para Antioquia" (cf. 18,22).

O fim da segunda viagem (ver mapa a seguir) durou cerca de três anos (49-52) e, metade desse tempo, Paulo ficou em Corinto (cf. 18,11).

A segunda viagem missionária de Paulo (At 15,36-18,22)

4.3. A terceira viagem: Organizar e consolidar a fé em Jesus Cristo (53-57/58)

Podemos acompanhar essa viagem a partir de Atos dos Apóstolos 18,23–21,17 e também pelo mapa seguinte. Novamente, o ponto de partida é Antioquia (Síria).

1. Paulo percorre as regiões da Galácia e da Frígia (cf. 18,23).

2. Vai para Éfeso, onde estabelece morada, sendo um centro de apoio para organizar as comunidades. Fica por volta de três anos (cf. 20,31). Fala sobre o batismo de João, como sinal de arrependimento, e do batismo de Jesus e da força do Espírito Santo. Anuncia a Palavra de Deus e passa por diversas dificuldades (cf. 19,1-41).

3. Vai para a região da Macedônia e dá instruções (cf. 20,1).

4. Chega à Grécia (Corinto), onde permanece por três meses (cf. 20,2-3).

5. Deixa de embarcar rumo à Síria, devido às ameaças de morte por parte dos judeus, e vai para a Macedônia até Trôade, onde fica uma semana (cf. 20,3-12).

6. Vai para Mileto (cf. 20,15) e manda emissários a Éfeso para chamar os anciãos dessa igreja, e faz um discurso muito bonito, o qual vale a pena ler (20,18-38).

7. Vai para Tiro, na Síria, conversa e orienta os discípulos por sete dias (cf. 21,3-4).

8. Vai a Ptolemaida e conversa com os irmãos (cristãos), e fica um dia (cf. 21,7).

9. Chega à Cesareia e passa ali vários dias orientando as comunidades (cf. 21,8-16).

10. Finalmente, chega a Jerusalém (cf. 21,17).

O fim da terceira viagem durou cerca de quase cinco anos (53-57/58), dos quais três foram em Éfeso (cf. 20,31). Dê uma olhada no mapa e confira toda essa trajetória:

A terceira viagem missionária de Paulo (At 18,23-21,17)

Agora, vamos ver o que o próprio Paulo fala sobre todas essas viagens e da sua vida de missionário:

> dos judeus recebi cinco vezes os quarenta golpes menos um. Fui flagelado três vezes; uma vez fui apedrejado; três vezes naufraguei; passei um dia e uma noite em alto-mar. Fiz muitas viagens. Sofri perigos nos rios, perigos por parte dos ladrões, perigos por parte dos meus irmãos de raça, perigos por parte dos pagãos, perigos na cidade, perigos no deserto, perigos do mar, perigos por parte dos falsos irmãos. Mais ainda: morto de cansaço, muitas noites sem dormir, fome e sede, muitos jejuns, com frio e sem agasalho (2Cor 11,24-27).

Somente por amor a Jesus e com a entrega da própria vida, alguém poderia fazer tudo isso, você não acha?

Há, ainda, de acordo com a narrativa de Lucas, em Atos 21,18–28,16, uma quarta viagem, na qual Paulo vai anunciar a Palavra de Deus em Roma, capital do Império Romano, e que, para Lucas, representa os extremos (ou confins) da terra (cf. 1,8).

5. Paulo era casado ou solteiro?

Pergunta muito difícil de ser respondida devido a poucos dados nos escritos de Paulo a esse respeito. Naquela época, as pessoas casavam-se muito cedo: "A idade mínima legal para o casamento dos rapazes era 13 anos. Na realidade só se casavam por volta dos 18 anos. Para as moças, a idade mínima era 12 anos".[13] Entre os judeus, o costume era casar-se o quanto antes, pois estimulavam a procriação: ao criar o homem e a mulher à sua imagem, seguiam o Gênesis "Deus os abençoou e lhes disse: 'Sejam fecundos, multipliquem-se, encham e submetam a terra...'" (Gn 1,28).

Paulo, possivelmente, veio ainda adolescente para estudar em Jerusalém e seguia os costumes da época, mas não podemos afirmar se ele se casou antes de sua conversão ou não. Quando escreve aos coríntios, diz: "Aos solteiros e às viúvas, digo que seria melhor que ficassem como eu. Mas se não são capazes de dominar seus desejos, então se casem, pois é melhor casar-se do que ficar fervendo" (1Cor 7,8-9). Alguns estudiosos dizem que não dá para saber se Paulo era solteiro ou viúvo a partir dessa afirmação. O fato era que Paulo tinha um grande apreço pelo casamento e chega a questionar que teria direito de levar, se quisesse, em suas viagens, uma "mulher cristã" ou "esposa cristã" (cf. 1Cor 9,5). Temos de admitir que Paulo, ao escrever aos coríntios, é celibatário e vê nisso uma opção de vida e um dom: "Eu gostaria que todos os homens fossem como eu. Mas cada um recebe de Deus

---

[13] MORIN, E. *Jesus e as estruturas de seu tempo.* 5ª ed. São Paulo: Edições Paulinas, 1988, p. 58.

o seu dom" (1Cor 7,7). Fica claro, a meu ver, que, depois da conversão, Paulo não se casou e isso foi uma opção pessoal para anunciar o Evangelho de Jesus Cristo.

6. A MORTE DE PAULO

Na Carta aos Romanos (15,28), Paulo expressa o desejo de entregar a coleta que fez para os cristãos pobres de Jerusalém e depois ir para a Espanha, passando por Roma. Não sabemos se ele realizou esse desejo de ir até a Espanha. O fato é que, em sua vida inteira (após a conversão, por volta de 28-30 anos), o seu viver sempre foi Cristo: "Para mim o viver é Cristo, e o morrer é lucro. [...] meu desejo é partir dessa vida e estar com Cristo, e isso é muito melhor" (Fl 1,21.23).

Quanto a mim, meu sangue está para ser derramado em libação, e chegou o tempo de minha partida. Combati o bom combate, terminei a corrida, conservei a fé. Agora só me resta a coroa da justiça que o Senhor, justo Juiz, me entregará naquele Dia; e não somente para mim, mas para todos os que tiverem esperado com amor a sua manifestação (2Tm 4,6-8).

Paulo foi morto na época do Imperador Nero, em Roma, por volta do ano 67, embora uns digam que foi um pouco antes e outros, um pouco depois; tinha por volta de 62 anos de idade.

A tradição conserva a história de que foi condenado a morrer pela espada, fora dos muros da cidade de Roma, num lugar chamado "Tre Fontane". Diz a tradição: cortada pela espada, a cabeça de Paulo rolou, pulou três vezes e parou. No lugar onde pulou apareceram três fontes. *Tre Fontane!*[14]

Como cristãos e cristãs, acreditamos que Paulo está vivo com Jesus na eternidade e que continua vivo no meio de nós, através de seus escritos. Bom seria se eu, você e todos nós fizéssemos uma viagem aos tempos de Paulo, em que ele nos mostra os sonhos, a fé, a vida das primeiras comunidades cristãs em suas cartas. E aí? Vamos viajar juntos? O ideal seria também que, no final dessa viagem e estudo de Paulo, pudéssemos dizer como ele: "Eu vivo, mas já não sou eu que vivo, pois é Cristo que vive em mim..." (Gl 2,20).

---

[14] MESTERS, Carlos. *Paulo Apóstolo – um trabalhador que anuncia o Evangelho.* 10ª ed. São Paulo: Editora Paulus, 2008, p. 138.

2. PRIMEIRA CARTA AOS TESSALONICENSES

1. CONHECENDO A COMUNIDADE DE TESSALÔNICA

Dizem as pessoas que "tudo na vida tem uma primeira vez". Imagine você que esta foi a primeira vez que Paulo escreveu uma carta, direcionada a uma comunidade, por volta do ano 50-51. Essa carta tornou-se também o primeiro escrito do Novo Testamento, isso porque o Evangelho de Marcos foi escrito por volta de 68-70.

Escrever, naquela época, ficava muito caro e era muito complicado, pois não existiam os recursos que há hoje.

Paulo, possivelmente, está em Corinto ao escrever aos tessalonicenses; mostra-se entusiasmado e cheio de alegria:

> De fato, quem, senão vocês, será a nossa esperança, a nossa alegria e a nossa coroa diante de nosso Senhor Jesus, no dia de sua vinda? (2,19).
>
> Como poderíamos agradecer a Deus por causa de vocês, pela alegria que nos deram diante do nosso Deus? (3,9).

Revela também um Paulo cheio de carinho, ternura e amor: "tratamos vocês com bondade, qual mãe aquecendo os filhos que amamenta. Queríamos tanto bem a vocês, que estávamos prontos a dar-lhes não somente o Evangelho de Deus, mas até a nossa própria vida, de tanto que gostávamos de vocês" (2,7-8).

Mas o que sabemos sobre a cidade de Tessalônica?

Tessalônica fora homenagem a Tessália, irmã de Alexandre e esposa de Cassandro, fundador da cidade em 315 a.C. Além de possuir um dos melhores portos naturais do mar Egeu, Tessalônica era atravessada pela Via Ignácia, uma estrada que ligava Roma ao Oriente.[1]

Naquela época, qualquer cidade portuária e próxima ao mar tinha grande movimento comercial e, consequentemente, muitas pessoas vindas de outros lugares trabalhavam nos portos, no comércio e em outras atividades. "Tessalônica tornou-se cidade livre em 42 a.C. Continuou a ser a cidade mais importante e mais populosa da Macedônia até o século III ou IV d.C. Como Salônica, é a segunda maior cidade da Grécia moderna e também importante porto marítimo."[2]

---

[1] CEBI. *Paulo e suas cartas*. Roteiros para reflexão X. São Leopoldo-RS: Cebi. São Paulo: Editora Paulus, 2000, p. 116.
[2] HAWTHORNE, Gerald F.; MARTIN, Ralph P.; REID, Daniel G. (Org.). *Dicionário de Paulo e suas cartas*. Tradução de Bárbara Theoto Lambert. São Paulo: Editora Vida Nova, Paulus e Loyola, 2008. Verbete Tessalonicenses, carta aos, de J. W. Simpson Jr., p. 1192.

Na saudação inicial dessa carta, há: "Paulo, Silvano e Timóteo à igreja dos tessalonicenses, que está em Deus Pai e no Senhor Jesus Cristo. A vocês, graça e paz" (1,1). Silvano ou Silas – como aparece em At 15,40 – possivelmente é a mesma pessoa, porém com um nome abreviado. Isso faz sentido, pois, na segunda viagem, em que Paulo está com Silas, ao chegar a Listra, Paulo chama Timóteo (cf. At 16,1-3) para ser também seu companheiro (missionário) no anúncio do Evangelho e de Jesus Cristo e, nessa mesma viagem, juntos evangelizam a Tessalônica. Os dois colaboraram, mas, ao longo dos estudos das cartas paulinas, vamos ver que esta carta tem tudo a ver com o jeito de ser e escrever de Paulo.

2. Primeiro retrato de uma comunidade cristã

É de propósito que usamos este título, pois também Lucas, em Atos dos Apóstolos 2,42-47, descreve um primeiro retrato da comunidade e depois, outros (cf. At 4,32-37; 5,12-16). Ao que tudo indica, Lucas também foi um dos companheiros de Paulo no anúncio do Evangelho, escreveu os Atos dos Apóstolos, referindo-se aos acontecimentos do período de 30-60, tendo em vista, todavia, a realidade das comunidades, por volta do ano 90. Além do mais, seu objetivo era proporcionar um retrato "ideal". Paulo nos mostra um retrato "real" da primeira comunidade cristã (50-51), quase 40 anos antes que Lucas (90).

Paulo começa dizendo:

> Com efeito, diante de Deus nosso Pai nos lembramos sempre da fé ativa, do amor capaz de sacrifícios e da firme esperança que vocês depositam em nosso Senhor Jesus Cristo. E vocês imitaram o nosso exemplo e o exemplo do Senhor, acolhendo a Palavra com a alegria do Espírito Santo, apesar de tantas tribulações. Assim vocês se tornaram modelo para todos os fiéis da Macedônia e da Acaia. [...] Vocês se converteram, deixando os ídolos e voltando-se para Deus, a fim de servir ao Deus vivo e verdadeiro (1,3.6-7.9).

Fica bem claro que a fé ativa, o amor capaz de sacrifícios e a firme esperança são a razão de ser dessa comunidade, que se torna modelo de vivência do Evangelho de Jesus Cristo, apesar das tribulações.

Mesmo estando em Atenas, devido às perseguições e ameaças de morte, Paulo envia Timóteo para fortalecer e encorajar os novos fiéis na fé: "Eu temia que o tentador os tivesse seduzido e o nosso trabalho acabasse em nada" (3,5). Paulo e seus companheiros ficam por volta de três meses nesta comunidade e se sentem reanimados quando Timóteo, ao retornar, traz boas notícias sobre a fé, o amor e a esperança dos tessalonicenses que "estão firmes no Senhor".

Mas nem tudo é alegria... Há também os questionamentos, os erros e as fraquezas:

A vontade de Deus é que vivam consagrados a ele, que se afastem da libertinagem, que cada um saiba usar o próprio corpo na santidade e no respeito, sem se deixar arrastar por paixões libidinosas, como os pagãos que não conhecem a Deus. Deus não nos chamou para a imoralidade, mas para a santidade (4,3-5.7).

Paulo diz: "Vocês sabem muito bem que tratamos cada um como um pai trata os seus filhos. Nós exortamos, encorajamos e admoestamos vocês a viverem de modo digno de Deus" (2,11-12). Compara-se a uma mãe que acaricia e amamenta o filho e diz que estava pronto para dar até a própria vida de tanto que gostava desta comunidade (cf. 2,7-8). Mostra que anunciou o Evangelho de Deus com coragem e em meio a forte oposição, e que fez isso não para agradar aos homens, mas a Deus, e que não estava à procura de elogios, nem de bajulações e motivos interesseiros (cf. 2,2-6). Paulo dá um belo exemplo de vida, que leva bispos, padres, pastores, religiosos(as), missionários(as), coordenadores(as) e todos os que estão a serviço de Jesus Cristo e das comunidades a questionarem se queremos agradar a Deus ou aos homens.

Como exemplo desta primeira comunidade, deveríamos perguntar: a nossa fé é ativa? Nosso amor é capaz de sacrifícios? Nossa esperança está depositada em nosso Senhor Jesus Cristo?

3. A PARUSIA

As cartas aos tessalonicenses também são conhecidas como os escritos de Paulo que mais falam sobre a vinda de Jesus. Mas o que é parusia?

> O termo "parusia" provém do grego *parousia,* cujo sentido é "presença" ou "vinda". O termo era usado no mundo greco-romano para designar a vinda solene de personagem ilustre, principalmente do imperador. [...] Os primeiros cristãos esperavam, portanto, que a ressurreição do Messias Jesus fosse logo seguida de sua vinda na glória e de seu reino, com todos os seus discípulos. O retardamento dessa vinda trazia problemas.[3]

Parusia foi entendida como a segunda vinda de Jesus ou sua vinda gloriosa no final dos tempos. Mas tanto Paulo, como os demais cristãos, acreditavam, num primeiro momento, que essa "vinda" seria em breve. Para ficar mais claro, vamos ver o que Paulo diz aos cristãos tessalonicenses:

> De fato, quem, senão vocês, será a nossa esperança, a nossa alegria e a nossa coroa diante de nosso Senhor Jesus, no dia de sua vinda? (2,19).

---

[3] CARREZ, M.; DORNIER, P.; DUMAIS, M.; TRIMAILLE, M. *As cartas de Paulo, Tiago, Pedro e Judas*. Tradução de Benôni Lemos. 2ª ed. São Paulo: Editora Paulus, 1987, p. 50-51.

... a fim de que o coração de vocês permaneça firme e irrepreensível na santidade diante de Deus, nosso Pai, por ocasião da vinda de nosso Senhor Jesus com todos os seus santos (3,13).

Eis o que declaramos a vocês, baseando-nos na palavra do Senhor: nós, que ainda estaremos vivos por ocasião da vinda do Senhor... (4,15).

Que o espírito, a alma e o corpo de vocês sejam conservados de modo irrepreensível para a vinda de nosso Senhor Jesus Cristo (5,23).

Agora, irmãos, quanto à vinda de nosso Senhor Jesus Cristo e ao nosso encontro com ele... (2Ts 2,1).

O Senhor Jesus o destruirá com o sopro de sua boca e o aniquilará com o esplendor da sua vinda (2Ts 2,8).

Das sete vezes que Paulo utiliza *parousia* (vinda), seis, conforme vimos, estão nas cartas aos tessalonicenses e apenas uma está em 1 Coríntios 15,23. Isso demonstra a importância desse tema num primeiro momento, mas que depois não será mais utilizado e terá um outro modo de ser concebido.

No capítulo 4,13-18, tudo indica que Paulo está respondendo às perguntas dos tessalonicenses, feitas possivelmente a Timóteo, que tinha estado lá para uma visita (cf. 3,1-10). Eles estavam em dúvida sobre o que iria acontecer com aqueles que morreram antes da segunda vinda de Jesus. Paulo parte da ressurreição de Jesus e diz: "Eis o que declaramos a vocês, baseando-nos na palavra do Senhor: nós, que ainda estaremos vivos por ocasião da vinda do Senhor, não teremos nenhuma vantagem sobre aqueles que já tiverem morrido" (4,15). Eles ressuscitarão primeiro e depois nós. Observe que Paulo diz: "Nós, que ainda estaremos vivos por ocasião da vinda do Senhor...". Isso demonstra que tanto Paulo, como os cristãos, esperavam que Jesus viria em breve, o que não aconteceu. Diante disso, possivelmente algum discípulo escreve em nome de Paulo uma outra maneira de entender sobre a vinda de Jesus e diz:

> Agora, irmãos, quanto à vinda de nosso Senhor Jesus Cristo e ao nosso encontro com ele, pedimos a vocês o seguinte: não se deixem perturbar tão facilmente! Nem se assustem, como se o Dia do Senhor estivesse para chegar logo, mesmo que isso esteja sendo veiculado por alguma suposta inspiração, palavra ou carta atribuída a nós (2Ts 2,1-2).

Em outras cartas:

> Paulo explicou que a vinda do Senhor já se realizara na ressurreição de Cristo e que o reino messiânico estava inaugurado. Portanto, para o fim da história humana, seria preferível falar de "retorno" do Senhor ou, mais exatamente, de sua "plena manifestação" (1Cor 1,7; Rm 8,19-24).[4]

---

[4] CARREZ, M.; DORNIER, P.; DUMAIS, M.; TRIMAILLE, M. *As cartas de Paulo, Tiago, Pedro e Judas*. Tradução de Benôni Lemos. 2ª ed. São Paulo: Editora Paulus, 1987, p. 51.

Finalmente, Paulo vai mostrar que o importante não é se preocupar com o tempo da vinda, mas ter uma espera ativa, vivendo intensamente a fé e praticando o amor.

Saiba mais...

Paulo diz: "Mas vocês, irmãos, não vivem em trevas... Porque todos vocês são filhos da luz e filhos do dia. Não somos da noite nem das trevas. Portanto, não fiquemos dormindo como os outros. Estejamos acordados e sóbrios..." (5,4-6).

A luz, na Bíblia, representa a vida, a verdade, a justiça. As trevas representam o pecado, o erro, as injustiças. No relato da criação, há: "Deus disse: 'Que exista a luz!'. E a luz começou a existir. Deus viu que a luz era boa. E Deus separou a luz das trevas: à luz Deus chamou 'dia', e as trevas chamou 'noite'" (Gn 1,3-5). Jesus vai dizer: "Eu sou a luz do mundo. Quem me segue não andará nas trevas, mas possuirá a luz da vida" (Jo 8,12). Paulo diz aos tessalonicenses que eles são "filhos da luz", no sentido de "filhos de Deus", e que deveriam viver no "bem"; diz que não eram da noite (dormem, embriagam-se de noite) e das trevas, no sentido de viver no "mal".

Na sequência, há: "Pois Deus não nos destinou à sua ira, e sim para a salvação através de nosso Senhor Jesus Cristo, o qual morreu por nós, a fim de que, acordados ou dormindo, fiquemos unidos a ele" (5,9-10).

Não ficar dormindo como os outros e ficar acordados e sóbrios (cf. 5,6): "'dormir' e 'acordar' significam 'descuido' e 'vigilância' no cumprimento de normas morais". Já em 5,10, "acordados ou dormindo", no que se refere à salvação, "Paulo queria dizer: 'ainda em vida ou já mortos'".[5]

Repare então que, às vezes, é complicado entender algumas expressões que aparecem até no mesmo texto. "Acordados", em 5,6, está no sentido de vigilância, e "acordados", em 5,10, está no sentido de vida. "Dormindo", em 5,6, está no sentido de descuido, e "dormindo", em 5,10, está no sentido de já mortos.

---

[5] MURPHY-O'CONNOR, Jerome. *Paulo de Tarso: história de um apóstolo*. Tradução de Valdir Marques. São Paulo: Editora Paulus e Loyola, 2007, p. 113.

3. SEGUNDA CARTA AOS TESSALONICENSES

Há muito debate sobre se esta carta foi, de fato, escrita por Paulo ou por algum de seus discípulos. Alguns estudiosos afirmam que ela foi escrita, logo depois da primeira, por Paulo, pois vários temas e assuntos são semelhantes, e, sobre a "parusia", vem explicando melhor de como seria, estando de acordo com os ensinamentos de Jesus. Alguns outros estudiosos dizem que não foi Paulo, devido ao estilo apocalíptico e até forte apelo à autoridade (apostólica). Se Paulo fosse o autor, ela deveria ter sido escrita logo depois.

A opinião tradicional é que a segunda carta (aos tessalonicenses) foi escrita pouco tempo depois da primeira. No entanto, o estilo claramente apocalíptico de 2Ts 2,1-12 parece incompatível com 1Ts 4,13–5,11, o que leva comentadores a duvidar da autoria de Paulo e datar essa carta em um período bem posterior.[1]

---

[1] CEBI. *Paulo e suas cartas*. Roteiros para reflexão X. São Leopoldo-RS: Cebi. São Paulo: Editora Paulus, 2000, p. 117.

Como não temos certeza de que seja de Paulo ou de algum de seus discípulos, e mesmo na hipótese de ser de algum discípulo, temos de levar em consideração que foi escrita em nome de Paulo e que foi utilizado muito o seu modo de ser e escrever. Devido a isso, ao comentarmos esta carta e outras na mesma circunstância, vamos referir-nos a esse autor, seja quem for, como sendo Paulo.

1. A PERSEVERANÇA DO CORAÇÃO

Paulo agradece a Deus a perseverança na fé, na verdade e, sobretudo, o amor e a esperança firme dos tessalonicenses. Bem sabia das perseguições e das dificuldades que passavam aqueles cristãos. O fundamental era perseverar com o coração.

> Por isso, irmãos, fiquem firmes e mantenham as tradições que lhes ensinamos de viva voz ou por meio da nossa carta. O próprio nosso Senhor Jesus Cristo e Deus nosso Pai, que nos amou e por sua graça nos dá consolo eterno e esperança feliz, concedam-lhes ânimo ao coração e os fortaleçam para que façam e falem tudo o que é bom (2,15-17).

No meio de várias doutrinas religiosas, nos diversos costumes, no modo de ser e viver dos pagãos e, sobretudo, na opressão política dos romanos, o importante era manterem firmes na fé que receberam, confiarem na graça de Jesus que haveria de consolá-los e serem a razão de uma esperança feliz. Acima de tudo, era necessário fortalecerem o coração e praticarem "tudo o que é bom".

2. A IMPORTÂNCIA DO TRABALHO

Costumamos ouvir que "o trabalho dignifica as pessoas", seja qual for o tipo de trabalho. Jesus era carpinteiro (cf. Mc 6,3). Em Corinto, ao se encontrar com Áquila e Priscila, "e como eram da mesma profissão – fabricantes de tendas –, Paulo passou a morar com eles e trabalhavam juntos" (At 18,3). Em Tessalônica, Paulo trabalhou muito e fez esta recomendação:

> Vocês sabem como devem imitar-nos: nós não ficamos sem fazer nada quando estivemos entre vocês, nem pedimos a ninguém o pão que comemos; pelo contrário, trabalhamos com fadiga e esforço, noite e dia, para não sermos um peso para nenhum de vocês. Não porque não tivéssemos direito a isso, mas porque nós quisemos ser um exemplo para vocês imitarem. De fato, quando estávamos entre vocês, demos esta norma: quem não quer trabalhar, também não coma. Ouvimos dizer que entre vocês existem alguns que vivem à toa, sem fazer nada e em contínua agitação. A essas pessoas mandamos e pedimos, no Senhor Jesus Cristo, que comam o próprio pão, trabalhando em paz.
> Quanto a vocês, irmãos, não se cansem de fazer o bem (3,7-13).

Paulo deixa claro que "trabalhava com fadiga e esforço, noite e dia".

Mas como era visto o trabalho na época de Paulo?

Essa pergunta tem de ser respondida em três momentos, porque Paulo era judeu, tinha nascido em Tarso, na Cilícia, Ásia Menor, pertencia ao Império Romano e tinha uma influência da cultura grega:

– Os judeus valorizam o trabalho e também o descanso. Deus criou o mundo em seis dias e descansou no sétimo, que é o sábado. "Deus então abençoou e santificou o sétimo dia, porque foi nesse dia que Deus descansou de todo o seu trabalho como criador" (Gn 2,3). Deus disse ao homem: "Enquanto você viver, você dela (terra) se alimentará com fadiga. Você comerá seu pão com o suor do seu rosto, até que volte para a terra" (Gn 3,17.19). Todos têm de trabalhar, inclusive os ricos. A preguiça é condenada (cf. Pr 6,6-11). "O preguiçoso não ganha seu sustento, mas o trabalhador se torna rico" (Pr 12,27). O trabalho era dignificante, além de permitir ao homem colaborar com Deus no processo criador. A terra era um dom de Deus e de vida.

– No Império Romano, os ricos e a elite dominante viviam às custas do trabalho dos pobres, assalariados e escravos. Havia cobrança de impostos em quase tudo – muitas vezes, até para atravessar uma ponte –, além de sobre toda e qualquer produção. A agricultura era o motor que aquecia a economia, como hoje. Também, naquela época, existiam os latifundiários e muitas terras nas mãos de poucos. A atividade comercial era intensa e havia muitos artesãos e pequenos negócios dos mais diversos. Os ricos apenas "administravam" seus bens e tinham escravos para o trabalho manual.

> O trabalho não tinha valor em si, ou seja, ele era considerado sempre em conexão com o *status* da pessoa que trabalhava. Qualquer trabalho destinado à subsistência era, em princípio, menosprezado. [...] Em primeiro lugar, considerem-se inconvenientes todas as atividades profissionais que, como as do publicano e do agiota, acarretam apenas ódio das outras pessoas. [...] De todos os tipos de atividade rentável, a agricultura é a melhor, a mais produtiva, a mais agradável, a mais digna do homem livre.[2]

– Os gregos ricos gostavam de se dedicar à filosofia. Trabalhar, ainda mais sendo manual, era humilhante e decepcionante, coisa de pobre e de escravo. Na cultura grega daquela época e "para as elites, abastecidas de bens e culturalmente favorecidas, o único trabalho que dignificava o ser humano era o intelectual. Para muitos, não ter de

---

[2] STEGEMANN, Ekkehard W.; STEGEMANN, Wolfgang. *História Social do Protocristianismo*. Tradução de Nélio Schneider. São Leopoldo-RS: Editora Sinodal. São Paulo: Editora Paulus, 2004, p. 39-40.

trabalhar era sinal de realização pessoal e projeção social".[3] O sistema de produção era escravista: quanto mais escravos tinha um "Senhor", mais "nobre" se tornava.

Diante desse modo de ver o trabalho manual, tanto no Império Romano, quanto na cultura grega, era desprezado e humilhante.

Paulo era fabricante de tendas, para nós uma espécie de barracas. Era um trabalho importante na época pois as pessoas que participavam da Festa das Tendas dos judeus e que não tinham como ficar em uma hospedaria, seja pelos recursos financeiros, seja pela falta de vagas, tinham de ter sua tenda. Além do mais, para viajar de barco e navio, era necessário ter uma tenda para se cobrir do sol ou da chuva. Também se teciam mantos para serem usados em navios e faziam toldos para lojas e outros. Esse era o serviço de Paulo, que afirma que trabalhava com fadiga e esforço, noite e dia, para não ser peso para ninguém, muito embora soubesse que tinha o direito, se quisesse, de ser sustentado financeiramente no anúncio do Evangelho. Renuncia a isso, para não ser sustentado por ninguém, nem por pessoas ricas, o que comprometeria seu trabalho de anúncio e denúncia, pois não poderia ser livre para dizer a verdade e teria de dar sa-

---

[3] BORTOLINI, José. *Introdução a Paulo e suas cartas*. São Paulo: Editora Paulus, 2001, p. 23.

tisfações para quem pagasse pelo seu trabalho. Trabalhando com as próprias mãos e adquirindo o necessário para pagar as suas viagens, para escrever as cartas e para sua própria sobrevivência, ele dava, com isso, um grande exemplo para todos os trabalhadores. O importante era que, no ambiente de seu trabalho, ele entrava em contato com muitos trabalhadores e evangelizava a todos. Daí poder dizer: "A essas pessoas mandamos e pedimos, no Senhor Jesus Cristo, que comam o próprio pão, trabalhando em paz" (3,12). Trabalhando, Paulo mostra a todos a importância e a dignidade do trabalho.

4. PRIMEIRA CARTA AOS CORÍNTIOS

1. Conhecendo a comunidade de Corinto

Paulo chega à comunidade de Corinto no fim do inverno, entre 50-51, depois de evangelizar a Tessalônica e de ter passado por Bereia e Atenas. Lá, vai morar e trabalhar, num primeiro momento, com Áquila e Priscila, que também eram fabricantes de tendas (cf. At 17–18,18).

O que sabemos sobre Corinto?[1] Sua história remonta ao século VIII a.C. e até 146 a.C. Era uma importante cidade-estado grega quando foi destruída pelo exército de Roma. Ficou em ruínas até o ano 44 a.C., foi reconstruída por Júlio César e se tornou uma importante colônia romana. Em 27 a.C., passou a ser a capital da província

---

[1] Algumas informações históricas foram extraídas do "Dicionário de Paulo e suas cartas", in Hawthorne, Gerald F.; Martin, Ralph P.; Reid, Daniel G. (Org.). *Dicionário de Paulo e suas cartas*. Tradução de Bárbara Theoto Lambert. São Paulo: Editora Vida Nova, Paulus e Loyola, 2008. Verbete Coríntios, carta aos, de S. J. Hafemann, p. 280-282.

romana da Acaia, juntamente com Epiro e Macedônia, que eram províncias gregas sob o domínio de Roma. Tinha dois grandes portos: Cencreia, que fica no mar Egeu, voltado para Atenas, e que fazia ligação com a Ásia Menor, Síria e Egito; Laqueu, que possibilita acesso ao mar Adriático e Roma, entre outros.

Resumindo: Corinto era uma cidade que fazia ligação entre o Oriente e o Ocidente. Sua população era estimada em torno de 300.000 a 500.000 habitantes, que faziam dessa cidade uma das mais importantes e numerosas do Império Romano, ao lado de Roma, Alexandria e Antioquia. Há historiadores que a coloca em terceiro lugar, à frente de Antioquia, na Síria. Era uma cidade de várias raças, culturas, religiões, filosofias e estilos de vida. Grande parte da população era de escravos e trabalhadores nos portos. Evidentemente que era uma cidade comercial importantíssima.

A população vive do comércio, da produção agrícola, das funções administrativas e da indústria do bronze, orgulho da cidade. Outra fonte de renda importante são os jogos locais, espécie de olimpíadas que acontecem a cada dois anos e atraem muitos turistas e atletas, movimentando a economia.[2]

---

[2] Centro Bíblico Verbo. *O amor jamais passará! Entendendo a primeira carta aos Coríntios*. São Paulo: Editora Paulus, 2008, p. 17.

Corinto também se destaca e ficou famosa por realizar os jogos ístmicos a cada dois anos, e só era superada pelos jogos olímpicos. Dizem que até "o Imperador Nero, em 67, apresentou-se como ator e foi calorosamente aplaudido, e este proclamou a liberdade da Grécia e uma isenção de impostos. Em 74, Vespasiano a suprimiu".[3] Até Paulo vai referir-se ao célebre estádio:

> Vocês não sabem que no estádio todos os atletas correm, mas só um ganha o prêmio? Portanto, corram, para conseguir o prêmio. Os atletas se abstêm de tudo; eles, para ganharem uma coroa perecível; e nós, para ganharmos uma coroa imperecível (9,24-25).

Corinto também ficou famosa pela libertinagem sexual e prostituição, tanto é que "a Corinto grega era, evidentemente, célebre por seus vícios, em especial a corrupção sexual, em vista da fama da cidade, Aristófanes (c. 450-385 a.C.) chegou a inventar a palavra *korinthiazesthai* ('agir como um coríntio', isto é, 'cometer adultério'). [...] o caso é que certamente esse problema também passou a ser preponderante na nova cidade romana devido a seu caráter de encruzilhada e porto marítimo".[4] Um ditado popular tornou-se

---

[3] CARREZ, M.; DORNIER, P.; DUMAIS, M.; TRIMAILLE, M. *As cartas de Paulo, Tiago, Pedro e Judas*. Tradução de Benôni Lemos. 2ª ed. São Paulo: Editora Paulus, 1987, p. 80.
[4] HAWTHORNE, Gerald F.; MARTIN, Ralph P.; REID, Daniel G. (Org.). *Dicionário de Paulo e suas cartas*. Tradução de Bárbara Theoto Lambert. São Paulo: Editora Vida Nova, Paulus e Loyola, 2008. Verbete Coríntios, carta aos, p. 281-282.

célebre: "viver à coríntia" ou "viver à maneira de Corinto", no sentido de libertinagem sexual. Paulo diz:

> "Posso fazer tudo o que quero." Sim, mas nem tudo me convém... Ora, o corpo não é para a imoralidade, e sim para o Senhor; e o Senhor é para o corpo. E vocês não sabem que aquele que se une a uma prostituta forma com ela um só corpo? [...] Fujam da imoralidade. Qualquer outro pecado que o homem comete é exterior ao seu corpo; mas quem se entrega à imoralidade peca contra o seu próprio corpo. Ou vocês não sabem que o seu corpo é templo do Espírito Santo, que está em vocês e lhes foi dado por Deus? Vocês já não pertencem a si mesmos. Alguém pagou alto preço pelo resgate de vocês. Portanto, glorifiquem a Deus no corpo de vocês (6,12-13.16.18-20).

Paulo enfrentou problemas seriíssimos e muitas dificuldades em Corinto, onde ficou por volta de um ano e meio. Em sua primeira carta, há: problemas relativos a divisões (cf. 1,10-15); a sabedoria e a cruz (cf. 1,17-31); a imoralidade sexual (cf. 5–6); dúvidas da comunidade sobre casamento, celibato, virgindade (cf. 7,1-40); idolatria (cf. 10,14-22); incoerências na celebração da Ceia do Senhor (cf. 11,17-34); ressurreição (cf. 15). Havia pessoas que queriam aparecer e diziam ser mais do que os outros, porque falavam em línguas, e muitas outras questões.

A Primeira Carta aos Coríntios mostra um Paulo que se preocupa com os problemas do dia-a-dia da comunidade, um pastor e amigo, alguém que está revestido de Cristo e que oferece um caminho seguro e de acordo com a vontade de Deus. Aquele que dá orientações precisas para as diversas igrejas que se reúnem nas casas. É um Paulo que recebe a força do Espírito Santo, que é iluminado e que vai indicar "um caminho que ultrapassa a todos" (12,31). Que caminho é esse?

2. O CAMINHO É O AMOR

Ainda que eu falasse línguas,
as dos homens e dos anjos,
se eu não tivesse o amor,
seria como sino ruidoso
ou como címbalo estridente.
Ainda que eu tivesse o dom da profecia,
o conhecimento de todos os mistérios e de toda a ciência;
ainda que eu tivesse toda a fé,
a ponto de transportar montanhas,
se não tivesse o amor,
eu não seria nada.
Ainda que eu distribuísse todos os meus bens
aos famintos,
ainda que entregasse o meu corpo às chamas,
se não tivesse o amor,
nada disso me adiantaria.
O amor é paciente,
o amor é prestativo;
não é invejoso, não se ostenta,

> não se incha de orgulho.
> Nada faz de inconveniente,
> não procura seu próprio interesse,
> não se irrita, não guarda rancor.
> Não se alegra com a injustiça,
> mas se regozija com a verdade.
> Tudo desculpa, tudo crê,
> tudo espera, tudo suporta.
> O amor jamais passará.
> Agora, portanto, permanecem estas três coisas:
> a fé, a esperança e o amor.
> A maior delas, porém, é o amor (1Cor 13,1-8a.13).

No meio a tantos conflitos e dificuldades, a tantos dons e carismas, sempre é difícil achar o caminho que ultrapassa a todos. Porém, este, conforme vimos, é o amor. Mas como Paulo encontrou esse caminho? Com certeza, através do coração, e não pela sabedoria intelectual. Como judeu, possivelmente, já soubesse da pergunta de um doutor da lei e da resposta de Jesus.

"Qual é o primeiro de todos os mandamentos?" Jesus respondeu: "O primeiro mandamento é este: Ouça, ó Israel! O Senhor nosso Deus é o único Senhor! E ame ao Senhor seu Deus com todo o seu coração, com toda a sua alma, com todo o seu entendimento e com toda a sua força. O segundo mandamento é este: Ame ao seu próximo como a si mesmo. Não existe outro mandamento mais importante do que esses dois" (Mc 12,28-31).

Ora, aquele, que é "o Caminho, a Verdade e a Vida" (cf. Jo 14,6), já havia indicado o caminho que ultrapassa a todos: o do amor. É nesse caminho que Paulo traça sua espiritualidade e sua vida. O amor brota da vida e do coração, e é a razão do nosso ser e viver. A palavra, em grego, é *ágape*, ou seja, amor. Algumas bíblias a traduzem como caridade. Todavia, o correto é amor. E Jesus já havia dado a maior prova de amor, ou seja, amar até o fim, até as últimas consequências e entregar a própria vida. Para isso, ele (Jesus) aceitou morrer em uma cruz.

2.1. O amor tudo suporta:[5]
A questão da cruz (1,17-25)

No caminho da vida de Paulo, há algumas quedas fundamentais para uma mudança de rumo.

Assim, no caminho de Damasco, ele se vê cercado por uma luz que vinha do céu, e caem por terra seus planos e ideais. A luz, que é Jesus, vai iluminar as trevas do seu coração, e ele, então, muda de rumo e segue Jesus, que é verdade, amor e vida.

---

[5] A ideia de colocar o amor antes de cada tema abordado, tendo por base o hino do amor, nesta primeira carta aos coríntios, surgiu de um trabalho nosso, em grupo, realizado no Centro Bíblico Verbo Divino, em São Paulo, no dia 30/01/2007, contando com a participação também de Ray, Cida, Sebastiana, Francisca, Silvestre.

Em Atenas, na Grécia, cidade tão famosa pela filosofia, cultura, intelectualidade, Paulo chega até a conversar com filósofos (cf. At 17,18) e é convidado para fazer um discurso aos atenienses. Imagine você o quanto ele se preparou e estudou para fazer tal discurso aos sábios e filósofos; queria mostrar sua sabedoria, e fez um belíssimo discurso (cf. At 17,22-34). Mas... "Quando ouviram falar de ressurreição dos mortos, alguns caçoavam e outros diziam: 'Nós ouviremos você falar disso em outra ocasião'. A essa altura, Paulo saiu do meio deles" (At 17,32-33). Para eles, "o corpo era a prisão da alma", conforme dizia Platão, não servia para nada, a não ser para o prazer. Era uma loucura falar que alguém, que tivesse morrido, ressuscitaria dos mortos. Caçoaram e humilharam-no, fizeram piadas e saíram no meio do discurso para irem embora. A sabedoria de que Paulo pensava ter foi um fracasso. Houve, pois, em seu caminho, uma queda e tanto, e ele, mesmo decepcionado com a "sabedoria intelectual", quis, em Corinto, mudar de rumo.

De fato, Cristo não me enviou para batizar, mas para anunciar o Evangelho, sem recorrer à sabedoria da linguagem, a fim de que não se torne inútil a cruz de Cristo. Pois a linguagem da cruz é loucura para aqueles que se perdem. Mas, para aqueles que se salvam, para nós, é poder de Deus. Pois a Escritura diz: "Destruirei a sabedoria dos sábios e rejeitarei a inteligência dos inteligentes". Onde está o sábio? Onde está o homem culto? Onde está o argumentador deste mundo? Por acaso, Deus não tornou louca a sabedoria deste mundo? De fato, quando Deus mostrou a sua sabedoria, o mundo não reconheceu a Deus através da sabedoria. Por isso, através da loucura que pregamos, Deus quis salvar os que acreditam. Os judeus pedem sinais e os gregos procuram a sabedoria; nós, porém, anunciamos Cristo crucificado, escândalo para os judeus e loucura para os pagãos. Mas para aqueles que são chamados, tanto judeus, como gregos, ele é o Messias, poder de Deus e sabedoria de Deus. A loucura de Deus é mais sábia do que os homens, e a fraqueza de Deus é mais forte do que os homens (1,17-25).

Paulo vai dizer sem medo: "Nós, porém, anunciamos Cristo crucificado, escândalo para os judeus e loucura para os pagãos" (1,23). Por que era escândalo para os judeus? Porque há esta passagem: "Se um homem sentenciado à pena de morte for executado e suspenso a uma árvore, seu cadáver não poderá permanecer na árvore durante a noite. Você deverá sepultá-lo no mesmo dia, pois quem é suspenso torna-se um maldito de Deus..." (Dt 21,22-23). Jesus foi suspenso, ou seja, foi crucificado, e isso, para os judeus, era o mesmo que dizer que, devido à cruz, era "maldito de Deus" e, portanto, era um escândalo admitir que Deus o ressuscitasse, que ele era o Messias, o Filho de Deus, o Ungido e o esperado para a salvação de Israel.

Por outro lado, os gregos (pagãos) entendiam que os sábios tinham uma proteção especial divina. Aquele que tivesse sofrido a pena de morte dos romanos só poderia ser pobre, escravo, ignorante e fracassado, e era uma loucura afirmar que alguém crucificado pudesse ter a proteção dos deuses ou serem seus mensageiros.

Paulo vai direto à questão de que, para os chamados, sejam judeus ou gregos, Jesus crucificado "é o Messias, poder de Deus e sabedoria de Deus" (1,24).

"Não pode haver nenhuma dúvida a respeito de onde se encontra o centro de gravidade da teologia de Paulo. Ele está na morte e ressurreição de Jesus."[6] Jesus anunciou o projeto de Deus, praticou o bem e ensinou os mistérios do seu Reino (de Deus), devido à sua opção de vida de anunciar o amor, a justiça e a verdadeira paz, por criticar os falsos valores do Império Romano, e, injustamente, foi condenado a morrer em uma cruz. Todavia, pelo poder de Deus, a morte foi vencida, e Jesus Ressuscitou: a vida vence a morte. A cruz é a maior prova de amor de um Deus que se fez homem e nos amou até o fim, ao ponto de entregar sua vida para que tenhamos a vida plena. A cruz, no entanto, transforma-se em doação, entrega feliz da própria vida. Ela é consequência da fidelidade do projeto de Deus.

Paulo diz aos coríntios: "Entre vocês, eu não quis saber outra coisa a não ser Jesus Cristo, e Jesus Cristo crucificado" (2,2). Depois aos gálatas: "Fui morto na cruz com Cris-

---

[6] DUNN, James D. G. *A teologia do apóstolo Paulo*. Tradução de Edwino Royer. São Paulo: Editora Paulus, 2003, p. 251.

to. Eu vivo, mas já não sou eu que vivo, pois é Cristo que vive em mim. E esta vida que agora vivo, eu a vivo pela fé no Filho de Deus, que me amou e se entregou por mim" (Gl 2,19-20). Ser crucificado é participar dos sofrimentos da vida, por amor a Cristo, pois o amor tudo suporta. É deixar de lado a glória e a sabedoria humana. É entregar a própria vida por amor, assumindo a nossa cruz, não no sentido de dor, morte e sangue, mas no sentido de doar a própria vida e, se necessário for, até mesmo morrer e vivenciar os mesmos sonhos e projetos de Jesus, como fez Paulo.

2.2. O amor não é invejoso:
Sobre a divisão na comunidade (3,3-9)

Na comunidade de Corinto, há muitas divisões e grupinhos, como infelizmente temos também hoje, o que leva Paulo a perguntar: "Será que Cristo está dividido? Será que Paulo foi crucificado em favor de vocês? Ou será que vocês foram batizados em nome de Paulo?" (1,13). Pouco mais adiante, vai fazer uma exortação muito séria:

> De fato, se entre vocês há invejas e brigas, não será pelo fato de serem guiados por instintos egoístas e por se comportarem como qualquer um? Quando alguém declara: "Eu sou de Paulo", e outro diz: "Eu sou de Apolo", não estarão vocês comportando-se como qualquer um? Quem é Apolo? Quem é Paulo? Apenas servidores,

através dos quais vocês foram levados à fé; cada um deles agiu conforme os dons que o Senhor lhe concedeu. Eu plantei, Apolo regou, mas era Deus que fazia crescer. Assim, aquele que planta não é nada, e aquele que rega também não é nada: só Deus é que conta, pois é ele quem faz crescer. Aquele que planta e aquele que rega são iguais; e cada um vai receber o seu próprio salário, segundo a medida do seu trabalho. Nós trabalhamos juntos na obra de Deus, mas o campo e a construção de Deus são vocês (3,3-9).

Apolo era natural de Alexandria, no Egito. Era sábio e falava muito bem e com desenvoltura. Sua presença foi muito útil aos fiéis de Corinto (cf. At 18,24-28). Paulo mostra que o importante é o anúncio de Jesus Cristo e que a comunidade permaneça unida no amor de Jesus. Sem deixar dúvidas, vai dizer que um é o que planta, outro é o que rega, mas só Deus é quem dá o crescimento, fazendo produzir frutos de amor, de justiça e de paz.

A comunidade bem sabia que Cristo não estava dividido. Os pregadores podem ser muitos, mas um só é o alicerce: Jesus Cristo.

Na comunidade, não se pode formar grupinhos ou panelinhas. E é lamentável que isso ainda hoje aconteça, havendo divisões, intrigas, fofocas, grupinhos e invejas, até mesmo, às vezes, entre alguns padres, pastores, igrejas, coordenadores de pastorais, ministros da eucaristia e pessoas que exercem liderança em nome de Cristo. Quando se trabalha por amor e para o bem, tendo Jesus como a razão de ser, tem-se, com certeza, uma "comum-unidade". Agora, se o objetivo for aparecer, engrandecer, e a razão de ser não for Jesus Cristo, haverá, com certeza, divisões e inveja. Temos de seguir a exortação de Paulo: o amor não é invejoso e Deus quer a união, o amor e a partilha dos dons para o bem de todos.

2.3. O amor nada faz de inconveniente: A questão da sexualidade (7,1-40)

Paulo, possivelmente, está em Éfeso, de onde vai responder várias perguntas feitas pela comunidade de Corinto. Existem dúvidas sobre o matrimônio, o celibato, a virgindade, o divórcio e outras.

"Passemos agora ao que vocês escreveram: 'É bom ao homem não tocar em mulher'" (7,1). Paulo vai orientar que cada homem deve ter a sua esposa e cada mulher deve ter o seu marido para evitar a imoralidade. O marido deve cumprir o dever conjugal com a esposa, e esta também em relação ao marido. A esposa não é dona do seu próprio corpo, e sim o marido. Até aqui, tudo está de acordo com os princípios da época. "Do mesmo modo, o marido não é dono do seu próprio corpo, e sim a esposa" (7,4) é novidade, pois a mulher era considerada objeto e posse do marido. Ao dizer que o marido não é dono do próprio corpo, e sim a esposa, começa, então, em certo ponto, os direitos e deveres "iguais" no casamento para o homem e para a mulher.

Paulo diz: "Aos solteiros e às viúvas, digo que seria melhor que ficassem como eu. Mas, se não são capazes de dominar seus desejos, então se casem, pois é melhor casar-se do que ficar fervendo" (7,8-9). Afirma que a esposa está ligada ao marido enquanto ele viver, mas, se ele morrer, ela está livre para casar-se. E o mesmo vale para o homem que fica viúvo, embora ele considere ser melhor permanecer viúvo ou viúva (cf. 7,39-40). Não sabemos se Paulo foi casado, se se tornou viúvo, se era separado ou solteiro. Na sua afirmação, fica claro que não estava unido a uma mulher. Recomenda que é melhor se casar do que ficar ardendo de desejos. Pede para a esposa e o esposo não se divorciarem (cf. 7,10-11).

Quanto às pessoas virgens, não há nenhum preceito do Senhor, mas dá um conselho: "Considero boa a condição das pessoas virgens, por causa das angústias presentes... Uma coisa eu digo a vocês, irmãos: o tempo se tornou breve... " (7,26.29). Paulo ainda considera que a (segunda) vinda de Jesus (parusia) seria em breve; depois, compreende que não seria assim. Daí porque dizer ser melhor cuidar das coisas do Senhor.

Paulo vai dizer que tanto o homem virgem como a mulher virgem, se decidirem casar-se, não estarão cometendo pecado, e

> se alguém, transbordando de paixão, acha que não conseguirá respeitar a noiva, e que as coisas devem seguir o seu curso, faça o que quiser. Não peca; que se case. Ao contrário, se alguém, por firme convicção, sem constrangimento e no pleno uso de sua vontade, resolve

respeitar a sua noiva, está agindo bem. Portanto, quem se casa com sua noiva faz bem; e quem não se casa, procede melhor ainda (7,36-38).

Paulo é a favor do casamento, e apenas aconselha, dizendo que cada um recebe de Deus um dom (cf. 7,7), que, quem tem o dom de anunciar o evangelho e "não tem esposa, cuida das coisas do Senhor e do modo de agradar ao Senhor. Quem tem esposa, cuida das coisas do mundo e de como agradar à esposa, e fica dividido..." (7,32-34). O mesmo vale para a mulher que não está casada.

Mas, agora, vamos entender o contexto e a realidade da época. Imagine você que esse texto foi escrito há quase dois mil anos, numa outra época, em uma cultura totalmente diferente da nossa. Em relação ao trabalho, vimos que Paulo vivia em três culturas diferentes e em três "visões" de mundo. Quanto à sexualidade, também há essas três visões:

– Comecemos pela cultura romana. Aqui, não podemos confundi-la com o Império Romano, que abrangia diversos países, regiões e cidades, onde, até certo ponto, era permitido manter seus costumes, crenças e modo de ser, desde que fossem pagos os devidos tributos e obedecidas as ordens políticas do Imperador. Os romanos viviam numa sociedade tipicamente patriarcal e machista, em que o homem era autoridade máxima da casa toda, inclusive dos escravos, sendo que o Senhor da casa tinha direito sobre o corpo deles e poderia ter as escravas para sua satisfação pessoal. A mulher era propriedade do marido e devia ser submissa. A prostituição era "normal" para os homens desfrutarem dos prazeres da vida.

– Para os judeus, a sexualidade só era permitida no casamento. Eram rigorosos com a lei que não deveriam cometer adultério e nem cobiçar a mulher do próximo (cf. Êx 20,14.17). A lei era implacável:

> Se um homem for pego em flagrante tendo relações sexuais com uma mulher casada, ambos serão mortos, tanto o homem como a mulher. Desse modo, você eliminará o mal de Israel.
>
> Se houver uma jovem prometida a um homem, e um outro tiver relações com ela na cidade, vocês levarão os dois à porta da cidade e os apedrejarão[7] até que morram... (Dt 22,22-24).

Jesus vai acabar com essa lei do apedrejamento quando doutores da Lei e fariseus trazem uma mulher, que tinha sido pega em flagrante cometendo adultério, e dizem:

---

[7] Se você quiser obter mais informações sobre o modo de viver a sexualidade entre os judeus, bem como sobre a lei de apedrejamento, leia o livro de minha autoria: ALBERTIN, Francisco. *Explicando o Antigo Testamento*. 2ª ed. Aparecida: Editora Santuário, 2007, p. 35-36 e 42-44. Só um exemplo, no caso de casamento: "Quando um homem for recém-casado, não ficará obrigado ao serviço militar nem a outros trabalhos públicos: terá um ano de licença em casa, alegrando a mulher com quem se casou" (Dt 24,5).

"Mestre, essa mulher foi pega em flagrante cometendo adultério. A Lei de Moisés manda que mulheres desse tipo devem ser apedrejadas. E tu, o que dizes?" [...] Jesus levantou-se e disse: "Quem de vocês não tiver pecado, atire nela a primeira pedra" (Jo 8,4-5.7).

Esse ditado tornou-se comum hoje: "Aquele que não tiver pecado que atire a primeira pedra". Como todos têm pecados, ninguém pode atirar a primeira pedra. "Em lugar de uma ética legalista dura e machista, Jesus cria a ética da responsabilidade, do amor, do respeito à dignidade da mulher".[8]

O divórcio era permitido em Israel: "Quando um homem se casa com uma mulher e consuma o matrimônio, se depois ele não gostar mais dela, por ter visto nela alguma coisa inconveniente, escreva para ela um documento de divórcio" (Dt 24,1). O divórcio poderia acontecer por qualquer motivo: porque a mulher não cozinhava bem, ou porque o homem achou uma outra mais jovem e bonita, ou porque ela falava muito e o incomodava etc. Mas só o homem poderia divorciar-se, a mulher não tinha direito de pedir o divórcio. Jesus também vai acabar com essa lei do divórcio,[9] ao dizer:

---

[8] CEBI. *Paulo e suas cartas*. Roteiros para reflexão X. São Leopoldo-RS: Cebi. São Paulo: Editora Paulus, 2000, p. 104.
[9] Se você quiser obter mais informações sobre o divórcio e casamento, leia o livro de minha autoria: ALBERTIN, Francisco. *Explicando o Novo Testamento – Os Evangelhos de Marcos, Mateus, Lucas e Atos dos Apóstolos*. Aparecida: Editora Santuário, 2008, p. 51-52.

desde o início da criação, Deus os fez homem e mulher. Por isso, o homem deixará seu pai e sua mãe, e os dois serão uma só carne. Portanto, eles já não são dois, mas uma só carne. Portanto, o que Deus uniu, o homem não deve separar (Mc 10,6-9).

Em Israel e para os judeus de modo geral, o homossexualismo não era permitido e nem o contato sexual com animais: "Não se deite com um homem, como se fosse com mulher: é uma abominação. Não se deite com animal, pois você ficaria impuro" (Lv 18,22-23).

– A sexualidade para o mundo grego, no caso em Corinto, era muito livre:

> Na visão grega da vida, a relação sexual era tão natural, necessária e justificável para o homem como comer e beber. Somente o excesso e o abuso eram censurados. Geralmente se admitia que os maridos podiam ter relações sexuais ocasionais extraconjugais, embora fosse proibida qualquer relação extramarital para as esposas. As escravas eram particularmente vulneráveis às exigências sexuais de seus senhores. [...] a tradição judaica e a primitiva tradição cristã insistiram contra a cultura greco-romana contemporânea, na qual a prática homossexual era perfeitamente aceitável e até altamente considerada.[10]

---

[10] DUNN, James D. G. *A teologia do apóstolo Paulo*. Tradução de Edwino Royer. São Paulo: Editora Paulus, 2003, p. 776 (primeira parte da citação – nota de rodapé n. 80). A segunda parte da citação no mesmo livro na p. 160.

Essa liberdade sexual, na cultura grega, levou algumas pessoas da comunidade de Corinto dizerem: "Posso fazer tudo o que quero", pois quase tudo era permitido na sexualidade, como relacionamento sexual fora do casamento e com outras mulheres que não fossem a sua esposa, em algumas ocasiões. Também o relacionamento homossexual era aceitável. Paulo vai corrigir essa maneira de ver a sexualidade: "'Posso fazer tudo o que quero'. Sim, mas nem tudo me convém. 'Posso fazer tudo o que quero', mas não deixarei que nada me escravize" (6,12). Paulo apela aos cristãos e diz: "Fujam da imoralidade" (cf. 6,18) ou *porneia*, isto é, relações homossexuais, extraconjugais e com prostitutas. Daí, todos os conselhos de Paulo, conforme vimos, em relação ao casamento, celibato, virgindade. "Todavia, para evitar a imoralidade, cada homem tenha a sua esposa, e cada mulher o seu marido" (7,2).

2.4. O amor é prestativo:
A verdadeira evangelização (9,15-23)

Paulo mostrou, com a própria vida, o que é evangelizar. Começa dizendo que viu Jesus e que foi enviado por ele para evangelizar. Alguns o acusavam de apóstolo de "segunda categoria" e até questionavam se era mesmo apóstolo, pelo fato de não ter vivido com Jesus. Paulo refere-se ao povo e diz que eles são o selo de seu apostolado (cf. 9,2), e sabe que a sua missão é divina, dada pelo próprio Jesus, que tinha ordenado a Ananias: "Vá, porque esse homem é um instrumento que eu escolhi para anunciar o meu nome aos pagãos..." (At 9,15).

Embora soubesse que Jesus teria dito: "Que aqueles que anunciam o Evangelho vivam do Evangelho" (9,14), Paulo renuncia a esse direito, pois trabalha com as próprias mãos, e diz: "Anunciar o Evangelho não é título de glória para mim; pelo contrário, é uma necessidade que me foi imposta. Ai de mim se eu não anunciar o Evangelho!" (9,16). O anúncio do Evangelho não é para aparecer e nem fazer show, é para anunciar Jesus, sua vida e seu projeto de passar pela cruz, pelo amor e pela entrega da própria vida. Paulo, mesmo sendo livre, torna-se servo de todos e diz que o objetivo é ganhar o maior número possível.

> Com os judeus, comportei-me como judeu [...]. Com os que estão sujeitos à Lei, comportei-me como se estivesse sujeito à Lei [...]. Com aqueles que vivem sem a Lei, comportei-me como se vivesse sem a Lei [...]. Com os fracos, tornei-me fraco, a fim de ganhar os fracos. Tornei-me tudo para todos, a fim de salvar alguns a qualquer custo. Tudo isso eu o faço por causa do Evangelho, para me tornar participante dele (9,20-23).

"Ai de mim se eu não anunciar o Evangelho!" deveria ser o lema de todos os cristãos e cristãs. Temos de nos questionar se, de fato, anunciamos Jesus com palavras e, principalmente, com a própria vida.

Até que ponto nos tornamos servos e tentamos sair de nós mesmos para entrarmos no modo de ser de muitas pessoas que vivem de maneira diferente da nossa, não para fazer igual, mas para evangelizar com a nossa vida e testemunho, questionando os falsos valores, mostrando, acima de tudo, o amor, a vida, a justiça e o caminho traçado por Jesus?

Questiona-se muito o fato de Paulo dizer: "Tornei-me tudo para todos, a fim de salvar alguns a qualquer custo. Tudo isso eu o faço por causa do Evangelho" (9,22-23). Adaptar-se ao modo de ser do outro não é fácil, exige muito amor e renúncia. Hoje, temos de reinventar uma nova maneira de evangelizar, como fez Paulo. Poderíamos talvez começar pelo amor, passar pela humildade, utilizar a justiça e estar sempre no caminho do serviço.

2.5. O amor tudo crê:
A eucaristia (11,17-34)

Não é tão simples assim entender o sentar-se à mesa e fazer uma refeição, os banquetes sociais, a ceia pascal e a ceia do Senhor, e a eucaristia. Para isso, vamos fazer juntos uma caminhada pela Bíblia, pela história e pelos ensinamentos de Jesus.

Estando Jesus à mesa em casa de Mateus, muitos cobradores de impostos e pecadores foram e sentaram-se à mesa com Jesus e seus discípulos. Alguns fariseus viram isso, e perguntaram aos discípulos: "Por que o mestre de vocês come com os cobradores de impostos e os pecadores?" (Mt 9,10-11).

O "sentar-se à mesa e fazer uma refeição" significava comungar dos mesmos ideais e projetos, ter afinidade, criar ou reforçar a amizade e estabelecer uma comunhão. Os judeus e fariseus tinham amizade com os pagãos, mas nunca se sentavam à mesa juntos, pois os pagãos eram impuros e, se comungassem dos mesmos ideais deles, isso os deixaria também impuros. Daí as suas críticas por Jesus e os discípulos estarem sentados à mesa com cobradores de impostos e pecadores. "Criticavam Jesus, dizendo: 'Esse homem acolhe pecadores, e come com eles!'" (Lc 15,2).

Outra questão são as refeições comunitárias ou os banquetes sociais.

Normalmente a refeição é feita na casa do patrono da associação, e os convidados são tratados de acordo com a sua posição social. Os ricos se sentam numa ampla sala coberta... Para esses ricos, os melhores alimentos são servidos em primeiro lugar. Os mais pobres ficam no átrio, lugar parcialmente coberto e menos confortável, recebendo comida e bebida inferiores. Caso o banquete não siga essa ordem hierárquica, o dono da festa está desonrando os seus convidados ilustres, o que é considerado um escândalo.[11]

Repare bem que as melhores comidas e vinhos só são servidos aos ricos e em primeiro lugar, e o que está em jogo é a posição social e o dinheiro. Aos pobres, são servidos comidas e vinhos inferiores. Para os ricos comerem juntos com os pobres e à mesma mesa, era "vergonhoso e uma desonra", uma verdadeira humilhação.

Agora sim, podemos tomar a Bíblia, em 1 Coríntios 11,17-34.

Paulo diz que, quando eles estão reunidos em assembleia, há divisões: "De fato, quando se reúnem, o que vocês fazem não é comer a Ceia do Senhor, porque cada um se apressa em comer a sua própria ceia. E, enquanto um passa fome, outro fica embriagado. Será que vocês não têm em suas casas onde comer e beber?" (11,20-22).

O que Paulo está criticando é que os coríntios estão reproduzindo a vida social na vida de comunidade e isso é um absurdo, ou seja, a ceia do Senhor é diferente de uma refeição ou banquete social, em que há diferença entre ricos e pobres, embriaguez, falta de partilha e solidariedade, divisão, opressão e injustiças. A ceia do Senhor é bem diferente, o que leva Paulo a dizer:

---

[11] Centro Bíblico Verbo. *O amor jamais passará! Entendendo a primeira carta aos Coríntios*. São Paulo: Editora Paulus, 2008, p. 87.

De fato, eu recebi pessoalmente do Senhor aquilo que transmiti para vocês: Na noite em que foi entregue, o Senhor Jesus tomou o pão e, depois de dar graças, o partiu e disse: "Isto é o meu corpo que é para vocês; façam isto em memória de mim". Do mesmo modo, após a Ceia, tomou também o cálice, dizendo: "Este cálice é a Nova Aliança no meu sangue; todas as vezes que vocês beberem dele, façam isso em memória de mim". Portanto, todas as vezes que vocês comem deste pão e bebem deste cálice, estão anunciando a morte do Senhor, até que ele venha (11,23-26).

Na Ceia, Jesus vai tomar o pão, dar graças, partir. O mesmo ele havia feito na multiplicação dos pães: "Pegou os cinco pães e os dois peixes, ergueu os olhos para o céu, pronunciou a bênção, partiu os pães e os deu aos discípulos" (Mt 14,19). Do mesmo modo, após a Ceia, vai tomar também o cálice com vinho. Ora, tomar o pão e o vinho (em refeições festivas), dar graças, partir, fazer a bênção, tudo isso era um costume que já existia entre os judeus e até entre outros povos, não era novidade. Mas, na Santa Ceia, o que vemos é o próprio Jesus tomar o pão, dar graças, partir e dizer: "Isto é o meu corpo que é para vocês; façam isto em memória de mim" (11,24). E depois, vai tomar o cálice com vinho e dizer: "Este cálice é a Nova Aliança no meu sangue; todas as vezes que vocês beberem dele, façam isso em memória de mim" (11,25). Na eucaristia, temos o pão, que é o corpo de Jesus, e o vinho, que é o seu sangue e a Nova Aliança, além do pedido: "Façam isso em memória de mim". "A ceia do Senhor é memorial; isso significa atualizar o gesto de entrega e compromisso de Jesus crucificado, morto e ressuscitado no hoje da vida comunitária."[12] Jesus era judeu e celebra a Páscoa com os seus discípulos, e diz: "Desejei muito comer com vocês esta ceia pascal, antes de sofrer" (Lc 22,15). Páscoa significa "passagem" e celebra o grande evento quando o povo de Israel passa da escravidão do Egito para a libertação. No rito da ceia pascal, havia um cordeiro assado, pão e vinho, e isso ocorria durante uma ceia (refeição). Havia todo um ritual de celebração, partilha do cordeiro, ação de graças, bênção do pão e vinho, (cf. Êx 12–13,16). Jesus vai também abençoar o pão e o vinho, e ele mesmo vai ser o cordeiro imolado que tira o pecado do mundo. Vai derramar o seu sangue na cruz e dizer: "Este cálice é a Nova Aliança no meu sangue; todas as vezes que vocês beberem dele, façam isso em memória de mim" (11,25).

O cálice é interpretado com o significado da nova aliança no sangue de Cristo. Contra o pano de fundo de Êxodo 24,8 e Jeremias 31,31-34, isso indica que a morte de Jesus é o sacrifício que inicia a nova aliança entre Deus e o seu povo e, desse modo, institui o novo povo de Deus.[13]

---

[12] CENTRO BÍBLICO VERBO. *O amor jamais passará! Entendendo a primeira carta aos Coríntios*. São Paulo: Editora Paulus, 2008, p. 95.
[13] HAWTHORNE, Gerald F.; MARTIN, Ralph P.; REID, Daniel G. (Org.). *Dicionário de Paulo e suas cartas*. Tradução de Bárbara Theoto Lambert. São Paulo: Editora Vida Nova, Paulus e Loyola, 2008. Verbete Ceia do Senhor, de I. H. Marshall, p. 214.

No sangue de Jesus, dá-se a Nova e Eterna Aliança, a Nova Páscoa, em que não se celebra mais a passagem da escravidão para a libertação, mas da morte para a vida, e vida eterna. Paulo vai exortar os coríntios e todos nós: "Cada um examine a si mesmo antes de comer deste pão e beber deste cálice, pois aquele que come e bebe sem discernir o Corpo, come e bebe a própria condenação" (11,28-29). Que corpo? Aí, temos de olhar um pouco antes quando Paulo diz: "O cálice da bênção que nós abençoamos não é comunhão com o sangue de Cristo? O pão que partimos não é comunhão com o corpo de Cristo? E como há um único pão, nós, embora muitos, somos um só corpo, pois participamos todos desse único pão" (10,16-17).

O aspecto mais notável e mais desafiador da teologia paulina da Ceia do Senhor é, sem dúvida, a concepção da igreja também como o corpo de Cristo. Em particular, a linguagem de Paulo aqui forneceu a base para toda a reflexão teológica posterior sobre a relação entre sacramento e igreja, entre o único corpo que é o pão e o único corpo que é a igreja.[14]

Paulo afirma que, quando eles se reúnem em assembleia, que é a *ekklesia* – mesma palavra que significa Igreja,

---

[14] DUNN, James D. G. *A teologia do apóstolo Paulo*. Tradução de Edwino Royer. São Paulo: Editora Paulus, 2003, p. 694.

tanto é verdade que ele mesmo ao se referir à divisão, vai dizer: "Ou desprezam a Igreja de Deus e querem envergonhar aqueles que nada têm?" (11,22) –, há um único pão e, embora muitos, somos um só corpo, pois participamos de um único pão. Quem peca contra o seu irmão, peca contra o único pão, que é o corpo de Cristo e a Igreja. Então, a Ceia do Senhor (a eucaristia), em que há o corpo e o sangue de Jesus no pão e no vinho, deve ser um compromisso com o amor, a partilha e a vida para todos, como Jesus nos ensinou e mostrou com a sua própria vida.

> **Saiba mais...**
>
> **A EUCARISTIA**
>
> A palavra eucaristia,[15] em grego *eucharistia*, significa "ação de graças". E sua instituição, pelo próprio Jesus, é relatada por Mt 26,26-29; Mc 14,22-25; Lc 22,15-20. Paulo fala da tradição que recebeu do Senhor: 1Cor 11,23-25.
>
> Na Bíblia, a eucaristia, como corpo de Jesus no pão e sangue de Jesus no vinho, é chamada de "Ceia do Senhor" (cf. 11,20), conforme acabamos de ver e, possivelmente, de "fração do pão" ou "partir do pão" (cf. At 2,42.46; 20,7.11).

---

[15] Cf. MACKENZIE, Jonh L. *Dicionário Bíblico*. Tradução de Álvaro Cunha *et al.*; 4ª ed. São Paulo: Editora Paulus, 1984. Verbete eucaristia, p. 314-317.

> Em relação à comunidade cristã, temos: "Eram perseverantes em ouvir o ensinamento dos apóstolos, na comunhão fraterna, na fração do pão (no partir do pão) e nas orações" (At 2,42).
>
> Ao que tudo indica, o termo "eucaristia" foi utilizado, pela primeira vez, na *Didaché*, no fim do século I, que era espécie de uma primeira catequese, no sentido de ensino, instrução. Utilizado também por Inácio de Antioquia, Justino e toda a Igreja.

2.6. O amor não procura seus próprios interesses: A questão dos dons (12,4-11)

Paulo vai mostrar aos coríntios a importância dos dons para edificar a comunidade, a Igreja. Os dons não podem ser utilizados para se engrandecer, para a honra pessoal e muito menos para se sentir superior aos outros, conforme alguns queriam.

Paulo mostra que "Existem dons diferentes, mas o Espírito é o mesmo; diferentes serviços, mas o Senhor é o mesmo; diferentes modos de agir, mas é o mesmo Deus que realiza tudo em todos" (12,4-6). São muitos dons dados pelo mesmo Espírito. Paulo entende esses dons "como dons carismáticos. Isso significa que são sinais da gratuidade de Deus, distribuídos às pessoas de forma diferente para a construção da comunidade".[16]

Se tomarmos o Dicionário Aurélio, da língua portuguesa, *dom* "é um dote ou qualidade natural, inata", e *carisma*, "força divina conferida a uma pessoa, mas em vista da necessidade ou utilidade da comunidade religiosa".[17]

> Cada um recebe o dom de manifestar o Espírito para a utilidade de todos. A um, o Espírito dá a palavra de sabedoria; a outro, a palavra de ciência segundo o mesmo Espírito; a outros, a fé, o dom das curas, de fazer milagres, da profecia, do discernimento, o dom de falar em línguas e de interpretá-las. Mas é o mesmo Espírito quem realiza tudo isso, distribuindo os seus dons a cada um, conforme ele quer (cf. 12,7-11).

Isso quer dizer que cada um recebe, gratuitamente, um dom de Deus, o qual deve ser colocado a serviço de todos e para o bem comum da comunidade.

Os capítulos 12, 13 e 14 formam um conjunto de dons e carismas diversos e que nem sempre têm o mesmo sentido para Paulo. Aqui, não nos vamos aprofundar nos diversos

---

[16] CENTRO BÍBLICO VERBO. *O amor jamais passará! Entendendo a primeira carta aos Coríntios*. São Paulo: Editora Paulus, 2008, p. 109.
[17] FERREIRA, Aurélio Buarque de Holanda. *Dicionário Aurélio Básico da Língua Portuguesa*. Rio de Janeiro: Ed. Nova Fronteira S.A., 1988, "dom", p. 229, e "carisma", p. 130.

significados para não ficar confusa e complicada a mensagem central que Paulo nos quer dizer, pois, no fundo, ela é muito simples, e ele mesmo diz: "Aspirem aos dons mais altos. Aliás, vou indicar para vocês um caminho que ultrapassa a todos" (12,31). E esse caminho, conforme vimos no início de nossa explicação desta primeira carta aos coríntios, *é o amor.*

Seja qual for o seu trabalho na comunidade, seja qual for o seu dom, pense, em primeiro lugar, no bem comum e, acima de tudo, aspire aos dons mais altos e ao caminho indicado por Paulo que ultrapassa a todos. Fazer tudo por amor e para servir a todos e construir o tão sonhado Reino de Deus, como fez Jesus, Paulo e outros, esse é o caminho e o dom maior ou supremo: *o amor acima de tudo.*

2.7. O amor jamais passará:
A ressurreição (15)

O ser humano, em sua essência, sempre buscou e busca a vida e a felicidade como sua razão de ser e existir, mas não uma vida que termina com a morte e nem uma felicidade passageira. É evidente que muitos esperavam por uma outra vida, além desta, pois que sentido teria a vida se era tão curta e passageira? Havia muitas doutrinas religiosas, mas nenhuma preenchia o desejo humano de uma outra vida após a morte. Algumas pessoas falavam em imortalidade da alma e desprezavam o corpo. Platão, filósofo grego, dizia "que o corpo era a prisão da alma", e muitos outros falavam da existência de deuses que poderiam ser imortais e até dar a imortalidade aos seus seguidores. O fato é que tudo isso era muito confuso e nada tinha se comprovado como verdadeiro.

Se tomarmos o povo de Israel, os judeus, por exemplo, acreditavam em Deus como o criador do mundo, do ser humano e de toda a criação, mas, antes da vinda de Jesus, também acreditavam na morte como um fim em si mesmo. Somente no judaísmo tardio, algumas pessoas, em contato com o mundo grego, começaram a cogitar e pensar na possibilidade de uma vida além desta.

> Então o seu povo será salvo, todos os que estiverem inscritos no livro. Muitos dos que dormem no pó despertarão: uns para a vida eterna, outros para a vergonha e a infâmia eternas (Dn 12,1-2).
>
> Vale a pena morrer pela mão dos homens, quando se espera que o próprio Deus nos ressuscite (2Mc 7,14).

Paulo é o primeiro a escrever sobre a ressurreição de Jesus Cristo, bem como suas aparições depois de ressuscitado, e a tentar explicar alguma coisa sobre a ressurreição dos mortos. Talvez você se questione: e os evangelhos que escrevem sobre a vida, morte e ressurreição de Jesus? Ocorre que o primeiro evangelho escrito foi o de Marcos, por volta do ano 68-70; Mateus e Lucas, por volta de 85, e João, por volta de 90/95. Mas, por escrito, Paulo é o primeiro a escrever, isso por volta do ano 54/57; os autores divergem muito em relação à data.[21] Todavia, ele escreveu esta carta pelo menos 12 anos antes que Marcos e 28 anos antes que Mateus e Lucas. Paulo dedica todo o capítulo 15, desta carta, para descrever a ressurreição e vai dizer:

> Por primeiro, eu lhes transmiti aquilo que eu mesmo recebi, isto é: Cristo morreu por nossos pecados, conforme as Escrituras; ele foi sepultado, ressuscitou ao terceiro dia, conforme as Escrituras; apareceu a Pedro e depois aos Doze. Em seguida, apareceu a mais de quinhentos irmãos de uma só vez; a maioria deles ainda vive, e alguns já morreram. Depois apareceu a Tiago e, em seguida, a todos os apóstolos. Em último lugar apareceu a mim (15,3-8).

Paulo teve um encontro com Jesus Ressuscitado. Isso ele mesmo narra em Gálatas 1,15-16. Nesta carta aos coríntios, afirma que viu Jesus (cf. 9,1) etc. E Lucas narra, em detalhes, esse encontro em Atos dos Apóstolos 9,1-19, conforme vimos ao descrevermos a sua conversão. Esse encontro de Paulo com Cristo Ressuscitado mudou totalmente sua vida e é por isso que ele diz:

---

[18] CARREZ, M.; DORNIER, P.; DUMAIS, M.; TRIMAILLE, M. *As cartas de Paulo, Tiago, Pedro e Judas*. Tradução de Benôni Lemos. 2ª ed. São Paulo: Editora Paulus, 1987, p. 89, coloca que foi escrita em 54; BORTOLINI, José. *Introdução a Paulo e suas cartas*. São Paulo: Editora Paulus, 2001, p. 82, diz que foi entre 54-56; CEBI. *Paulo e suas cartas*. Roteiros para reflexão X. São Leopoldo-RS: Cebi. São Paulo: Editora Paulus, 2000, p. 53, diz que foi no ano 57.

Ora, se nós pregamos que Cristo ressuscitou dos mortos, como é que alguns de vocês dizem que não há ressurreição dos mortos? Pois, se os mortos não ressuscitam, Cristo também não ressuscitou. E se Cristo não ressuscitou, a fé que vocês têm é ilusória e vocês ainda estão nos seus pecados. E, desse modo, aqueles que morreram em Cristo estão perdidos. Se a nossa esperança em Cristo é somente para esta vida, nós somos os mais infelizes de todos os homens. Mas não! Cristo ressuscitou dos mortos como primeiro fruto dos que morreram (15,12.16-20).

Paulo afirma que, se Cristo não tivesse ressuscitado, a fé seria ilusória, eles ainda estariam no pecado e, se a esperança em Cristo fosse só nesta vida, eles seriam os mais infelizes dos homens. Mas Cristo ressuscitou! A vida vence a morte, Cristo abre, para nós, a porta da eternidade e da vida em plenitude. Após nossa morte, também vamos ressuscitar.

Mas como é que os mortos ressuscitam? Com que corpo voltarão? (cf. 15,35). Essas foram algumas perguntas da comunidade de Corinto. Paulo vai dar apenas algumas dicas, pois é impossível explicar o inexplicável. A ressurreição só é entendida pela fé e não pela razão. Primeiro, Paulo chama de insensato aquele que pergunta "com que corpo voltarão", pois "a ressurreição não é um retorno às condições da vida presente, mas a uma vida do espírito, à vida já possuída por Jesus ressuscitado e comunicada dele para aqueles que creem nele".[22] Paulo vai dizer que:

> Aquilo que você semeia não volta à vida, a não ser que morra. E o que você semeia não é o corpo da futura planta que deve nascer, mas simples grão de trigo ou de qualquer outra espécie. A seguir, Deus lhe dá corpo como quer: ele dá a cada uma das sementes o corpo que lhe é próprio. O mesmo acontece com a ressurreição dos mortos: o corpo é semeado corruptível, mas ressuscita incorruptível; é semeado desprezível, mas ressuscita glorioso; é semeado na fraqueza, mas ressuscita cheio de força; é semeado corpo animal, mas ressuscita corpo espiritual... (15,36-38.42-44).

Em outros termos, como se dá a ressurreição, como se dá a transformação de corpo mortal para corpo espiritual e como é a vida na eternidade, isso tudo é mistério de Deus, "o que os olhos não viram, os ouvidos não ouviram e o coração do homem não percebeu, foi isso que Deus preparou para aqueles que o amam" (2,9).

W. Grossouw diz "que o Jesus ressuscitado (e as suas aparições) é uma realidade sobrenatural que não pertence a este mundo e não pode ser objeto de investigação histórica como tal; ele é exclusivamente objeto da fé".[23]

---

[19] MACKENZIE, Jonh L. *Dicionário Bíblico*. Tradução de Álvaro Cunha *et al.*; 4ª ed. São Paulo: Editora Paulus, 1984. Verbete ressurreição, p. 793.
[20] MACKENZIE, Jonh L. *Dicionário Bíblico*. Tradução de Álvaro Cunha *et al.*; 4ª ed. São Paulo: Editora Paulus, 1984. Verbete ressurreição, p. 792.

Cristo ressuscitou e a certeza de nossa fé é de que, após a nossa morte, também vamos ressuscitar e ter uma vida nova. Você acredita que, após esta vida, vamos ressuscitar e ter uma outra vida e vida eterna? Paulo termina dizendo: "Assim, queridos irmãos, sejam firmes, inabaláveis; façam continuamente progressos na obra do Senhor, sabendo que a fadiga de vocês não é inútil no Senhor" (15,58). O céu, a ressurreição, começa aqui e agora, e, para isso, exorta: "Façam tudo com amor" (16,14). E, finalizando esta primeira carta aos coríntios, escreve: "Eu amo a todos vocês em Jesus Cristo" (16,24).

5. SEGUNDA CARTA AOS CORÍNTIOS

1. CONHECENDO MELHOR PAULO E A COMUNIDADE DE CORINTO

Quem já leu ou lê atentamente a primeira carta aos coríntios e observa os detalhes, sabe que há grandes conflitos e dificuldades entre o autor e a comunidade. Nos capítulos 1–4, vamos observar que há vários grupos: uns são de Paulo, outros de Apolo, outros de Pedro e ainda de Cristo. Paulo diz que não quis seduzir os ouvintes, que não recebeu o espírito do mundo, mas o Espírito que vem de Deus; fechado em si mesmo, o homem não aceita o que vem do Espírito de Deus; entre vocês, há inveja e brigas; ninguém se iluda; se alguém de vocês pensa que é sábio segundo os critérios deste mundo, torne-se louco para chegar a ser sábio; ninguém coloque seu orgulho nos homens..., além dos problemas relacionados com o corpo e sexualidade (cf. 5–7), da questão da comida (cf. 8–10) e de se sentirem superiores por terem o "dom de línguas" (cf. 12–14).

Esse grupo, que tanto criou problemas na primeira carta aos coríntios, um dos maiores estudiosos de Paulo, Jerome Murphy-O'Connor,[1] chama-o de "Gente do Espírito", por serem os mais ricos e sábios desta Igreja. Ele diz que a atitude de Paulo, ao abordar esse problema, foi rudemente negativa e que preferiu jogar do lado obscuro da maioria, tornando ridícula a "Gente do Espírito". "Basta imaginar um pouco para ouvir o riso maldoso na congregação e ver pessoas trocando olhares de surpresa, quando o leitor da carta enfatizasse as palavras: 'Sem nós vos tornastes reis! Bom seria que reinásseis, para que nós reinássemos convosco!'" (4,8).

Diz também que, "para a 'Gente do Espírito' o golpe fora duro demais. Profundamente feridos pela humilhação pública, foram completamente afastados e se tornaram inimigos implacáveis de Paulo".

Com isso, fica claro que Paulo tomou uma atitude dura. Faltaram caridade e bom senso. Até mesmo Timóteo, seu amigo, "ficou profundamente chocado quando a carta foi lida em público". Além do mais, "o sucesso de Apolo em Corinto era uma crítica implícita à liderança de Paulo". Murphy-O'Connor diz que, quando Paulo volta a Corinto,

---

[1] A primeira parte da descrição dos problemas de Corinto e da personalidade de Paulo e de seus erros está baseada nas argumentações de Jerome Murphy-O'Connor, em seu livro: MURPHY-O´CONNOR, Jerome. *Paulo de Tarso: história de um apóstolo*. Tradução de Valdir Marques. São Paulo: Editora Paulus e Loyola, 2007, p. 179-207.

"não nos deixa dúvida como foi profundamente humilhado, e que sua autoridade foi desafiada e sua auto-estima fora seriamente ferida".

Feita essa primeira abordagem, tendo por base os estudos de Murphy-O'Connor, vamos, agora, entrar na segunda carta que Paulo escreveu aos coríntios. Muitas coisas têm tudo a ver com sua primeira carta ou vêm a esclarecê-la; outras são fatos novos, boas notícias e apelo à solidariedade.

Convido você, se puder e tiver tempo, a ler toda esta carta, a fim de perceber o quanto Paulo mudou. Aliás, o objetivo de fazer esta análise é mostrar que Paulo admite seu erro, pede perdão, fica mais humilde e procura seguir melhor os ensinamentos de Jesus. Conforme ele mesmo disse em sua primeira carta, ele vai procurar seguir o caminho que ultrapassa a todos, o caminho do amor.

Antes de entramos em alguns temas importantes de modo geral, algumas coisas são essenciais e falam por si nesta segunda carta. Então, vamos apenas citá-las:

> Irmãos, não queremos que vocês ignorem isto: a tribulação que sofremos na Ásia nos fez sofrer muito, além de nossas forças, a ponto de perdermos a esperança de sobreviver (1,8).
>
> Por isso, preferi não visitá-los, para não provocar tristeza. De fato, se causo tristeza para vocês, quem me dará alegria? Somente vocês, a quem entristeci (2,1-2).
>
> De fato, quando escrevi, eu estava tão preocupado e aflito que até chorava; não pretendia entristecê-los,

mas escrevi para que compreendam o imenso amor que tenho por vocês (2,4).

Essa carta é chamada de "carta das lágrimas", e Paulo encarregou Tito para essa missão em Corinto, e ele desempenhou papel fundamental: "Tito lhe deu a boa notícia de que sua 'carta escrita entre lágrimas' tinha de fato reconquistado a maioria dos coríntios (2Cor 7,6-13). Além disso, como a Igreja respondeu de maneira tão positiva".[2]

Tudo indica que essa carta foi perdida depois de lida aos coríntios e de ter tido um efeito tão positivo, em que Paulo mostra seu sofrimento em Jesus e se reconcilia com a comunidade, e ela com ele. Há alguns biblistas que dizem que essa "carta das lágrimas" corresponde aos capítulos 10–13, de 2 Coríntios.

> Sem cessar e por toda a parte levamos em nosso corpo a morte de Jesus, a fim de que também a vida de Jesus se manifeste em nosso corpo (4,10).
> Se alguém está em Cristo, é nova criatura (5,17).
> Visto que somos colaboradores de Deus, nós exortamos vocês para que não recebam a graça de Deus em vão (6,1).
> Coríntios, eu lhes falo com franqueza: meu coração está aberto para vocês. Em mim, não falta lugar para os

---

[2] HAWTHORNE, Gerald F.; MARTIN, Ralph P.; REID, Daniel G. (Org.). *Dicionário de Paulo e suas cartas*. Tradução de Bárbara Theoto Lambert. São Paulo: Editora Vida Nova, Paulus e Loyola, 2008. Verbete Coríntios, carta aos, de S. J. Hafemann, p. 285.

acolher, mas em troca vocês têm o coração estreito. [...] Eu lhes falo como a filhos; abram também o coração de vocês! (6,11-13).

Agora me alegro, não por haver entristecido vocês, mas porque a tristeza fez que vocês se arrependessem (7,9).

Em tudo vocês sobressaem: na fé, no dom da palavra, no conhecimento e entusiasmo, além do amor que vocês têm por nós (8,7).

Fica claro que o tema "sofrimento" perfaz grande parte desta segunda carta, bem como a questão da reconciliação (cf. 1–7), da solidariedade (cf. 8–9), dos problemas e das dificuldades de um apóstolo e a força de Cristo (cf. 10–13). Decidimos abordar um tema de cada um desses grupos.

2. O SOFRIMENTO E A CONSOLAÇÃO (1,3-11)

Vimos que Paulo passou por várias tribulações e sofrimentos em Corinto. Era uma comunidade difícil e numerosos problemas existiam ali. Paulo tinha muitos adversários: os "sábios e ricos", os judaizantes, os que se sentiam "superiores" com seus dons, os grupinhos e "panelinhas" que ocasionavam a divisão da comunidade. Foi humilhado publicamente e sua autoridade apostólica foi questionada seriamente. Achavam que Paulo era tão humilde quando estava com eles e tão prepotente longe (cf. 10,1), que suas cartas eram duras e fortes, mas a sua presença era fraca e sua palavra desprezível (cf. 10,10).

Diante disso, Paulo diz:

> Bendito seja o Deus e Pai de nosso Senhor Jesus Cristo, o Pai das misericórdias e Deus de toda consolação! Ele nos consola em todas as nossas tribulações, para que possamos consolar os que estão em qualquer tribulação, através da consolação que nós mesmos recebemos de Deus. Na verdade, assim como os sofrimentos de Cristo são numerosos para nós, assim também é grande a nossa consolação por meio de Cristo. Se somos atribulados, nós o somos para a consolação e salvação de vocês. Se somos consolados, é para a consolação de vocês, para que possam suportar os mesmos sofrimentos que também nós padecemos. E a nossa esperança a respeito de vocês é firme, pois sabemos que se vocês participam dos nossos sofrimentos, também participarão da nossa consolação (1,3-7).

Nesse pequeno texto, aparece a questão do sofrimento e da tribulação, mas, principalmente, da consolação, que aparece nove vezes.

Não é novidade para ninguém que Jesus Cristo sofreu muito devido a seu projeto de vida, seu ideal de amor, e para implantar o Reino de Deus no meio de nós. Para isso, foi condenado a morrer numa cruz, por criticar os falsos valores do Império Romano e por ter ensinado àqueles que se julgavam "seguir a lei de Deus", e seguiam preceitos humanos.

Paulo sofre por amor a Cristo, embora tenhamos de admitir que também teve sofrimentos por causa de erros pessoais e pela "falta de caridade" em alguns momentos, ou até mesmo pela sua personalidade e jeito de ser. O fato é que o sofrimento e as tribulações nos questionam. Na verdade, ninguém quer o sofrimento, mas ele existe e se faz presente, principalmente quando seguimos um projeto de vida, de amor e de justiça.

Paulo diz que leva, em seu corpo, a morte de Jesus (cf. 4,10), seu sofrimento e fidelidade ao projeto de Deus, e espera um dia levar a vida. É nisso que consiste toda e qualquer consolação, que só pode vir de Deus.

Jesus sofreu muito, foi humilhado em uma cruz e morreu, mas Deus o ressuscitou; da morte brotou a vida, e do sofrimento, a consolação e a paz. A tribulação e o sofrimento acontecem para colaborar com Cristo no processo de salvação.

Paulo mostra que o sofrimento e as tribulações só têm sentido se forem em Jesus Cristo. Daí, convoca toda a comunidade para também aceitar os sofrimentos e as dificuldades, pois a consolação de Cristo se faz presente em suas vidas.

Hoje, há muitos discípulos e discípulas que desejam construir o projeto de vida, amor e justiça de Jesus, mas muitas vezes não aceitam os sofrimentos e as tribulações. Será que não estão no caminho errado? Não devemos procurar o sofrimento pelas próprias mãos, isso seria doentio e sem sentido, mas, se o sofrimento existe por causa de Jesus e por denunciar um mundo, onde tem valor quem produz e tem dinheiro, quem desvaloriza a vida e coloca a esperança no dinheiro e no poder, então esse sofrimento deve ser assumido com amor, como fez Jesus, Paulo e muitos outros. O que você acha disso?

3. COLETA SOLIDÁRIA (9,5-9)

Paulo, na carta aos gálatas, vai dizer que foi a Jerusalém (assembleia) e que Tiago, Pedro e João estenderam a mão sobre ele e Barnabé, reconhecendo o trabalho de evangelização entre os pagãos, e que "eles pediram apenas que nos lembrássemos dos pobres, e isso eu tenho procurado fazer com muito cuidado" (Gl 2,10).

Assim, nasceu no coração de Paulo o desejo de fazer uma coleta solidária para os cristãos que passavam necessidades em Jerusalém. Paulo vai dizer que as igrejas da Macedônia foram solidárias e fizeram a sua parte. Refere-se a esse gesto solidário como sendo "obra de generosidade". Então, vai dizer aos coríntios:

> Julguei, portanto, necessário pedir aos irmãos que fossem até vocês à nossa frente e organizassem as ofertas já prometidas; uma vez recolhidas, essas ofertas seriam sinal de autêntica generosidade, e não demonstração de avareza.
> Saibam de uma coisa: quem semeia com mesquinhez, com mesquinhez há de colher; quem semeia com generosi-

dade, com generosidade há de colher. Cada um dê conforme decidir em seu coração, sem pena ou constrangimento, porque Deus ama quem dá com alegria. Deus pode enriquecer vocês com toda espécie de graças, para que tenham sempre o necessário em tudo e ainda fique sobrando alguma coisa para poderem colaborar em qualquer boa obra, conforme diz a Escritura: "Ele distribuiu e deu aos pobres; e sua justiça permanece para sempre" (9,5-9).

Essa coleta da solidariedade foi um belo exemplo de unidade e testemunho de amor da comunidade cristã nascente. Eles estavam unidos em um só coração, na fração do pão e na partilha dos bens. A maneira com que Paulo fala aos coríntios, de modo geral muito pobres, demonstra seu carinho por aquela comunidade, pois cada um deveria dar conforme decidisse em seu coração, não importando a quantia, mas importando o amor, pois Deus ama aqueles que dão com alegria.

A Igreja do Brasil, através da CNBB (Conferência Nacional dos Bispos do Brasil), organiza algumas coletas solidárias em todas as paróquias, em território nacional, dentre elas: coleta da fraternidade, durante a campanha da fraternidade, sendo que cada ano há um tema específico; coleta missionária, no mês missionário – em outubro; e coleta da evangelização, durante o advento, ou seja, antes do Natal; bem como outras que se fazem necessárias.

É bonito e emocionante ver quanto os pobres são mais solidários, conforme disse Paulo sobre as Igrejas pobres da

Macedônia: "a extrema pobreza delas transbordaram em riquezas de generosidade" (8,2). Não é novidade para ninguém que trabalha em obras e projetos solidários de que os pobres são os que mais partilham, tanto na época de Paulo, como nos dias de hoje.

Esse gesto de amor e solidariedade deve ensinar-nos a maior lição: partilhar do pouco ou do muito que temos, não só do que temos, mas também do que somos. As pessoas precisam de dinheiro para as necessidades básicas, mas precisam muito mais de amor, carinho, justiça e acolhimento. Então, vamos aprender juntos esta lição: "Cada um dê conforme decidir em seu coração, porque Deus ama quem dá com alegria" (9,7). Pense nisso.

4. QUANDO SOU FRACO, ENTÃO É QUE SOU FORTE (11,16-28; 12,9-12)

Paulo enfrentou vários problemas em Corinto, principalmente em relação à sua autoridade de apóstolo. Não é à toa que, na saudação, diz: "Paulo, apóstolo de Jesus Cristo pela vontade de Deus" (1,1). Alguns agentes de pastorais judeus, que estavam preocupados com tradições antigas e com a Lei de Moisés, chegam a Corinto com carta de recomendação (cf. 3,1), pensam ser "superapóstolos" (cf. 11,5). Paulo diz que "esses tais são falsos apóstolos, operários fraudulentos, disfarçados de apóstolos de Cristo" (11,13).

Diz que eles são falsos apóstolos e que "muitos se gabam de seus títulos humanos" (11,18).

Para entender melhor a ironia de Paulo nesse texto, vamos voltar um pouco no que ele diz em relação à sabedoria: "Mas, Deus escolheu o que é loucura no mundo, para confundir os sábios; e Deus escolheu o que é fraqueza no mundo, para confundir o que é forte" (1Cor 1,27). Então, ironicamente, Paulo entra no jogo de "gabar-se de seus títulos".

Aquilo que outros têm a ousadia de apresentar – falo como louco –, eu também tenho. São hebreus? Eu também. São israelitas? Eu também. São descendentes de Abraão? Eu também. São ministros de Cristo? Falo como louco: eu o sou muito mais. Muito mais pelas fadigas; muito mais pelas prisões; infinitamente mais pelos açoites; frequentemente em perigo de morte; dos judeus recebi cinco vezes os quarenta golpes menos um. Fui flagelado três vezes; uma vez fui apedrejado; três vezes naufraguei; passei um dia e uma noite em alto-mar. Fiz muitas viagens. Sofri perigos nos rios, perigos por parte dos ladrões, perigos por parte dos meus irmãos de raça, perigos por parte dos pagãos, perigos na cidade, perigos no deserto, perigos no mar, perigos por parte dos falsos irmãos. Mais ainda: morto de cansaço, muitas noites sem dormir, fome e sede, muitos jejuns, com frio e sem agasalho. E isso para não contar o resto: a minha preocupação cotidiana, a atenção que tenho por todas as igrejas.

Se é preciso gabar-se, é de minha fraqueza que vou me gabar.

Ele, porém, me respondeu: "Para você basta a minha graça, pois é na fraqueza que a força manifesta todo o seu poder". Portanto, com muito gosto, prefiro gabar-me de minhas fraquezas, para que a força de Cristo habite em mim. E é por isso que eu me alegro nas fraquezas, humilhações, necessidades, perseguições e angústias, por causa de Cristo. Pois quando sou fraco, então é que sou forte (11,21-30;12,9-10).

Esse texto é belíssimo e, mais uma vez, mostra quem é o verdadeiro apóstolo e onde está a sabedoria do anúncio de Jesus Cristo. Ela está na loucura da cruz, na loucura de anunciar com a vida e de sofrer tudo por amor, de ser fraco para sentir a força, a graça e o poder de Jesus. Ao mesmo tempo, temos aí um retrato do que foi a vida de Paulo e seu louco amor por Jesus. O que você acha dessa loucura e fraqueza?

6. CARTA AOS GÁLATAS

1. Conhecendo as comunidades da Galácia

A carta aos gálatas é bela e importantíssima para entender os grandes temas teológicos de Paulo e a razão de ser do cristianismo. O fio condutor é a liberdade entendida em seus diversos aspectos: da escravidão, da lei, das obras da carne e de toda e qualquer diferença, seja racial, de gênero ou outras questões, pois "não há mais diferença entre judeu e grego, entre escravo e homem livre, entre homem e mulher, pois todos vocês são um só em Jesus Cristo" (3,28). Os muros da divisão e da escravidão são derrubados para se instaurarem a igualdade, a liberdade e o amor. "Cristo nos libertou para que sejamos verdadeiramente livres..." (5,1).

Em relação à data que foi escrita, há grandes discussões, uns colocam logo no início, quando Paulo começou a escrever, ou seja, por volta de 51-52, outros colocam que, "sem dúvida alguma, de Éfeso, entre os anos 54-56 foram escritas a carta aos Gálatas e a primeira aos Coríntios".[1]

---

[1] BORTOLINI, José. *Introdução a Paulo e suas cartas*. São Paulo: Editora Paulus, 2001, p. 82.

Mas onde fica a Galácia?[2] Primeiro que a Galácia é uma região e não uma cidade, tanto é que Paulo manda essa carta "às igrejas da Galácia" (cf. 1,2). Antes, ele havia enviado carta "à igreja dos tessalonicenses" (cf. 1Ts 1,1), "à igreja de Deus que está em Corinto" (cf. 1Cor 1,2). Observe que ele diz "igrejas", no plural, sendo várias e uma região.

Historicamente, há um exército de celtas da mesma origem étnica que os celtas da França e da Grã-Bretanha convidados por Nicomedes I, Rei da Bitímia (278 a.C.), para combater, em seu nome, a fim de que toda a Bitímia o reconhecesse como soberano. Terminada a missão, os celtas se estabeleceram no norte da Ásia Menor e eram chamados de gauleses ou gálatas pelos gregos e latinos. Daí o nome de Galácia. Embora mantivessem a língua celta, muitos aprenderam um pouco do grego. Em 64 a.C., os gálatas apoiaram os romanos e o general Pompeu na guerra contra Mitridates V, e, com isso, receberam a recompensa de Pompeu, que designou a Galácia como reino cliente e expandiu suas fronteiras para incluir regiões ao sul e ao leste. Em 25 d.C., Augusto reorganizou o reino gálata, que passou a ser província romana, e a Galácia incluía o território original (norte da Ásia Menor), mais outras regiões: Frígia, Pisídia,

---

[2] Muitas informações históricas foram extraídas do Dicionário de Paulo e suas cartas, in HAWTHORNE, Gerald F.; MARTIN, Ralph P.; REID, Daniel G. (Org.). *Dicionário de Paulo e suas cartas*. Tradução de Bárbara Theoto Lambert. São Paulo: Editora Vida Nova, Paulus e Loyola, 2008. Verbete Gálatas, carta aos, de G. W. Hansen, p. 579-592.

Listra, Derbe etc., mas sob a autoridade de um governador romano.

A grande pergunta que parece não ter uma resposta satisfatória é se esta carta aos gálatas ou à região da Galácia era para toda província romana, incluindo a Galácia do Norte, onde os celtas se estabeleceram no início e a Galácia do Sul, devido às fronteiras expandidas como província romana em 25 d.C.

Paulo escreveu às "igrejas da Galácia", possivelmente a toda província romana da Galácia (hoje Turquia), que era uma província rural, grande produtora de cereais, com grandes fazendas de ovelhas, onde a lã era um produto importante.

E foi durante a sua segunda viagem missionária que Paulo foi a Galácia (cf. At 16,6). Mas, ao que tudo indica, foi pela providência divina, pois vai dizer:

> que foi por causa de uma doença física que eu os evangelizei na primeira vez. E vocês não me desprezaram nem me rejeitaram, apesar do meu físico ser para vocês uma provação. Pelo contrário, me acolheram como a um anjo de Deus ou até como a Jesus Cristo.
> Onde está a alegria que vocês experimentaram então? Pois eu dou testemunho de que, se fosse possível, vocês teriam arrancado os próprios olhos para me dar (4,13-15).

Não sabemos qual foi essa doença e nem Paulo fala. Além do mais, ele viajava e trabalhava muito, o que leva a crer que, dificilmente, ela o prejudicou posteriormente. O fato de ele afirmar que, se fosse possível, eles teriam "arrancado os próprios olhos" para lhe dar pode até ser que fosse uma doença nos olhos, mas nada foi comprovado. O importante é que Paulo foi muito bem acolhido pelos pagãos – uma outra realidade e modo de ser e pensar diferente –, sendo que alguns deles falavam grego, o que foi possível a comunicação.

Paulo teve vários problemas com os judeu-cristãos, que foram à Galácia e quiseram implantar a Lei de Moisés e a circuncisão como normas para serem cristãos e seguirem a Igreja de Jerusalém. Devido a isso, Paulo vai escrever o resultado da assembleia de Jerusalém, sobre a Lei, a escravidão e, principalmente, sobre o que consiste a verdadeira liberdade de Cristo.

2. ASSEMBLEIA EM JERUSALÉM E PAULO COMO APÓSTOLO DOS GENTIOS (2,1-10)

A Igreja cristã nascente tinha muitas dúvidas, dificuldades, perseguições. Jesus Cristo não tinha deixado normas ou tratados, mas tinha deixado o exemplo de sua vida, seu amor, sua partilha, sua crucificação, sua morte e ressurreição, e, claro, tinha pedido para os discípulos irem ao mundo inteiro pregar o evangelho, e prometido estar com eles todos os dias até o fim do mundo (cf. Mt 28,20). O exemplo maior era o amor e a entrega da própria vida por causa do evangelho.

Tanto Paulo como os demais discípulos e discípulas de Jesus estavam dando o melhor de si para se manterem fiéis aos ensinamentos do Filho de Deus. No anúncio aos judeus e pagãos, foram surgindo dúvidas, mal-entendidos, imposições e pontos de vista diferentes. Assim sendo, foi necessário fazer uma assembleia em Jerusalém – uns chamam de "concílio(?)" –, uma reunião entre Paulo, Barnabé, Tito – possivelmente outros que estavam evangelizando os pagãos – Tiago, Pedro e João, além de outros que estavam evangelizando os judeus. A data dessa assembleia, se tomarmos Lucas, deu-se por volta de 49, mas se tomarmos Paulo, foi por volta de 51.[3] A conversão de Paulo ocorreu por volta do ano 34 e nisso Lucas também concorda. Acontece que Paulo mesmo diz que logo após foi para a Arábia e depois Damasco. "Três anos mais tarde, fui a Jerusalém para conhecer Pedro, e fiquei com ele quinze dias". Nessa ocasião, conhece também Tiago (cf. Gl 1,11-24). Paulo diz que, catorze anos depois, volta a Jerusalém (cf. Gl 2,1). Então, 34 – ano da conversão – mais três anos que passou na Arábia e Damasco para ir a Jerusalém, já estamos no ano 37, e mais 14 anos, chegamos ao ano 51.

Parece ter havido grandes discussões e debates, pois Paulo fala em falsos irmãos, intrusos para espio-

---

[3] Detalhes cronológicos de Lucas, em Atos, e dos escritos de Paulo, veja: HAWTHORNE, Gerald F.; MARTIN, Ralph P.; REID, Daniel G. (Org.). *Dicionário de Paulo e suas cartas*. Tradução de Bárbara Theoto Lambert. São Paulo: Editora Vida Nova, Paulus e Loyola, 2008. Verbete Cronologia de Paulo, de L. C. A. Alexander, p. 343-352. Se você desejar conhecer detalhes da assembleia de Jerusalém, leia o livro de minha autoria: ALBERTIN, Francisco. *Explicando o Novo Testamento – Os Evangelhos de Marcos, Mateus, Lucas e Atos dos Apóstolos*. Aparecida: Editora Santuário, 2008. p. 244-246.

nar, e em continuar firme para não se submeter a essas pessoas (cf. 2,1-5).

Paulo chama de "notáveis" os representantes da Igreja de Jerusalém e diz: "No que se refere àqueles mais notáveis – pouco me importa o que eles eram então, porque Deus não faz diferenças entre as pessoas – esses mesmos notáveis nada mais me impuseram" (2,6). Isso também deve ser questionado hoje em nossa Igreja. Será que existem "notáveis" pelo cargo que ocupam? O que dizer da "hierarquia da Igreja", já que Deus não faz diferença entre as pessoas? O próprio Jesus disse que entre os governadores das nações existe o poder, mas entre seus seguidores não deverá ser assim: quem quiser ser grande, deve tornar-se o servidor de todos, pois o Filho do Homem não veio para ser servido, e sim para servir e dar a sua vida como resgate em favor de muitos (cf. Mc 10,43-45).

O Espírito Santo agiu e as pessoas abriram seus corações nessa assembleia, e a grande pergunta sobre se os cristãos deveriam ser circuncidados e seguirem a Lei de Moisés foi respondida: judeu é judeu e cristão é cristão, embora os cristãos só foram expulsos das sinagogas dos judeus após a reunião em Jâmnia, no ano 85.

Vamos ler o que Paulo diz:

> viram que a mim fora confiada a evangelização dos não circuncidados, assim como a Pedro fora confiada a evangelização dos circuncidados. De fato, aquele que tinha agido em Pedro para o apostolado entre os circun-

cidados também tinha agido em mim a favor dos pagãos. Por isso, Tiago, Pedro e João, considerados como colunas, reconheceram a graça que me fora concedida, estenderam a mão a mim e a Barnabé em sinal de comunhão: nós trabalharíamos com os pagãos, e eles com os circuncidados. Eles pediram apenas que nos lembrássemos dos pobres, e isso eu tenho procurado fazer com muito cuidado (2,7-10).

Bonito é ver que a Igreja de Jerusalém reconhece a graça concedida e estende a mão em sinal de comunhão. Ela iria evangelizar os judeus, e Paulo e Barnabé, os pagãos. Mas existem diferenças entre pagãos e gentios? Entre Israel e as nações? Há vários termos e significados usados e muitas opiniões, mas, de modo geral, para descomplicar: "'Gentios' é a tradução comum da palavra grega *ethné,* que em Paulo e alhures no NT é empregado com referências às nações, com exceção de Israel".[4] Assim, fica evidente que existe diferença entre Israel, que, após Esdras, se autodenominava "puro", e todas as outras nações, onde viviam os gentios ou pagãos, como "impuros". Então, dizer que Paulo é o apóstolo das nações, gentios ou pagãos é a mesma coisa. Lembrando que, no português, a palavra "gentio" deriva do latim *gens,* que significa "nação".

---

[4] HAWTHORNE, Gerald F.; MARTIN, Ralph P.; REID, Daniel G. (Org.). *Dicionário de Paulo e suas cartas*. Tradução de Bárbara Theoto Lambert. São Paulo: Editora Vida Nova, Paulus e Loyola, 2008. Verbete Gentios, de D. R. de Lacey, p. 593.

Porém, uma dúvida: esse texto, por diversas vezes, menciona que Pedro e a Igreja de Jerusalém evangelizariam os circuncidados, e Paulo e Barnabé evangelizariam os não circuncidados ou pagãos. E a grande questão era se para ser cristão tinha de ser ou não circuncidado. Afinal, o que é circuncisão?

Saiba mais...

A CIRCUNCISÃO

Para entender o rito e a importância da circuncisão podemos dizer que Deus faz uma aliança com Abraão:

> Quanto a você, observe a aliança que faço com você e com seus futuros descendentes. Circuncidem a carne do prepúcio. Este será o sinal da aliança entre mim e vocês. Quando completarem oito dias, todos os meninos de cada geração serão circuncidados [...]. Todo homem não circuncidado, cujo prepúcio não for circuncidado, será afastado do povo e de você, por ter violado a minha aliança (Gn 17,9.11-12.14).

Abraão foi circuncidado com 99 anos (cf. Gn 17,24). João Batista foi circuncidado (cf. Lc 1,59), Jesus foi circuncidado (cf. Lc 2,21), e Paulo diz: "Fui circuncidado no oitavo dia, sou israelita de nascimento..." (Fl 3,5). Mas, afinal, em que consiste a circuncisão e como é feita? O rito consistia em cortar a pele que envolve a parte final do pênis, também chamada de prepúcio e que hoje popularmente chamamos de "operação de fimose", que é feita como procedimento de higiene. Vários outros povos também faziam a circuncisão, não como aliança dos judeus, mas como rito de iniciação e por acreditarem que ela facilitava as relações sexuais.

Na época dos Macabeus (c. 175 a.C.): "Foi assim que construíram em Jerusalém uma praça de esportes de acordo com os usos pagãos. Disfarçaram a circuncisão e renegaram a aliança sagrada..." (1Mc 1,14-15). Era costume entre os gregos, em algumas atividades esportivas, atletas competirem completamente nus, e muitos jovens judeus sentiam-se envergonhados e disfarçavam a circuncisão, pois era motivo de gozação e de piada.

A partir dessa assembleia, decidiu-se que não era mais preciso fazer a circuncisão para ser cristão, mesmo os judeus, que se tornavam cristãos, também não precisavam. Agora, para os judeus, ela era obrigatória, pois era um sinal de que pertencia ao povo da Aliança. A circuncisão vai sendo incorporada como um diferencial religioso e, no Exílio, ajudou a manter sua identidade perante os outros povos.

Para ser cristão, bastava ser batizado e ter fé em Jesus Cristo.

3. A LIBERDADE EM JESUS (5,1-6)

Ao lado da vida e do amor, a liberdade torna-se essencial e imprescindível em qualquer ser humano. A liberdade gera alegria, conquistas, e nos possibilita lutar pelos nossos sonhos e ideais. A escravidão gera o ódio, mata os sonhos e impede o ser humano de ser ele mesmo. Conversando com um presidiário, ele dizia: "Isto daqui não é vida, sem liberdade é melhor morrer".

John Stuart Mill dizia: "A única liberdade que merece este nome é a de buscar o nosso próprio bem segundo a nossa própria maneira, enquanto não tentamos privar os outros da sua ou impedir seus esforços para obtê-la".[5] Além do nosso próprio bem, acredito que deveríamos buscar o bem do outro, dentro do possível, conforme Jesus nos ensinou e, para isso, mostrou que a liberdade tem de estar acompanhada do amor.

Paulo é firme e diz:

> Cristo nos libertou para que sejamos verdadeiramente livres. Portanto, fiquem firmes e não se submetam de novo ao jugo da escravidão.
>
> Eu, Paulo, declaro: se vocês se fazem circuncidar, Cristo de nada adiantará para vocês. E a todo homem que se faz circuncidar, eu declaro: agora está obrigado a observar toda a Lei. Vocês que buscam a justiça na Lei

---

[5] DUNN, James D. G. *A teologia do apóstolo Paulo*. Tradução de Edwino Royer. São Paulo: Editora Paulus, 2003, p. 743.

se desligaram de Cristo e se separaram da graça. Nós, de fato, aguardamos no Espírito a esperança de nos tornarmos justos através da fé, porque, em Jesus Cristo, o que conta não é a circuncisão ou a não circuncisão, mas a fé que age por meio do amor (5,1-6).

A liberdade e a escravidão estão diante de nossos olhos e de nossas decisões. O que escolher vai depender do coração de cada um. Paulo mostra que a liberdade é um dom de Deus, em que a fé age por meio do amor. E, se Cristo nos libertou, é para que sejamos verdadeiramente livres.

4. Obras da carne e frutos do Espírito (5,13-26)

Mas se a liberdade constitui, juntamente com a vida e o amor, a razão de ser e viver de qualquer ser humano, temos de tomar cuidado para que ela não nos leve a qualquer escravidão e não nos leve à libertinagem. Aqui, vamos voltar um pouco quando Paulo diz:

Gálatas insensatos! Quem foi que os enfeitiçou? Vocês que tiveram diante dos próprios olhos uma descrição clara de Jesus Cristo crucificado! Respondam-me somente uma coisa: foi por causa da observância da Lei que vocês receberam o Espírito ou foi porque vocês ouviram a mensagem de fé? Vocês são tão insensatos a ponto de ter começado com o Espírito e agora terminar na carne? (3,1-3).

Deixar Jesus e voltar à Lei é escravidão, da mesma forma que fazer tudo o que quer é libertinagem. Aristóteles já dizia que a virtude não está nem no excesso e nem na falta, ela está no meio-termo. Não é fazer tudo o que vem à mente, ou como alguns coríntios diziam: "Posso fazer tudo o que quero", e Paulo responde: "Sim, mas nem tudo me convém". Novamente: "Posso fazer tudo o que quero", e Paulo: "Mas não deixarei que nada me escravize" (cf. 1Cor 6,12).

Escrevendo aos gálatas, vai dizer:

> Irmãos, vocês foram chamados para serem livres. Que essa liberdade, porém, não se torne desculpa para vocês viverem satisfazendo a carne. Pelo contrário, coloquem-se a serviço uns dos outros através do amor. Pois toda a Lei encontra a sua plenitude num só mandamento: "Ame o seu próximo como a si mesmo". Mas, se vocês se mordem e se devoram uns aos outros, tomem cuidado! Vocês vão acabar destruindo-se mutuamente.
>
> Por isso é que lhes digo: vivam segundo o Espírito, e assim não farão mais o que a carne deseja. Porque a carne tem desejo que está contra o Espírito, e o Espírito contra a carne; os dois estão em conflito, de modo que vocês não fazem o que querem. Mas, se forem conduzidos pelo Espírito, vocês não estarão mais submetidos à Lei. Além disso, as obras da carne são bem conhecidas: fornicação, impureza, libertinagem, idolatria, feitiçaria,

ódio, discórdia, ciúme, ira, rivalidade, divisão, sectarismo, inveja, bebedeira, orgias e outras coisas semelhantes. Repito o que já disse: os que fazem essas coisas não herdarão o Reino de Deus. Mas o fruto do Espírito é amor, alegria, paz, paciência, bondade, benevolência, fé, mansidão e domínio de si. Contra essas coisas não existe lei. Os que pertencem a Cristo crucificaram a carne junto com suas paixões e desejos. Se vivemos pelo Espírito, caminhemos também sob o impulso do Espírito. Não sejamos ambiciosos de glória, provocando-nos mutuamente e tendo inveja uns dos outros (5,13-26).[6]

Os frutos do Espírito são contrários às obras da carne. Como entender Espírito e carne? É uma longa discussão e muito complicado se formos olhar os mínimos detalhes e os debates intermináveis entre os estudiosos. Para simplificar, vamos às origens. A Bíblia nos diz que: "Deus criou o homem à sua imagem; à imagem de Deus ele o criou; e os criou homem e mulher" (Gn 1,27); "Então Javé Deus modelou o homem com a argila do solo, soprou-lhe nas narinas um sopro de vida, e o homem tornou-se um ser vivente" (Gn 2,7). Com o sopro de vida de Deus, o homem tornou-

---

[6] Esse texto foi tomado da BÍBLIA. Edição pastoral. 8ª ed. São Paulo: Edições Paulinas, 1993. Todavia, por questão de coerência ao original grego, não usamos a expressão "instintos egoístas", pois a palavra em grego é *Sarx*, traduzida por "carne", conforme colocamos. No entanto, na mesma Bíblia, em sua nota de rodapé, p. 1499, é colocado "segundo os instintos egoístas" (lit.: carne).

se um ser vivente. No hebraico, o termo que designa isso é *nephesh* ou *nefesh*.

Resumindo, o homem representa aqui a humanidade: homem e mulher, é um ser vivente, é uno. Na cultura grega, o homem é divido em corpo *(soma)* e alma *(psyche)*. São modos diferentes de entender o homem e a mulher. Platão chegou a dizer "que o corpo era a prisão da alma". Para os gregos, a alma é imortal e pertence ao mundo espiritual, e o corpo é mortal e pertence ao mundo material. Só para ilustrar e dar um exemplo, de acordo com a mentalidade grega, "a prática sexual é uma atividade do corpo; por isso, não exerce influência sobre a alma".[7]

De modo geral, "os hebreus concebiam o homem como um corpo animado, ao passo que os gregos concebiam o homem como um espírito encarnado".[8] Feito esse esclarecimento, vamos voltar ao texto e tentar entender o que Paulo quis dizer em relação aos frutos do Espírito e às obras da carne. O tema principal é a liberdade e, para isso, é necessário seguir os frutos do Espírito, o que implica dizer que não se podem tornar escravos da Lei e nem praticar as obras da carne, ou seja: "fornicação, impureza, libertinagem, idolatria, feitiçaria, ódio, discórdia, ciúme, ira, rivalidade, di-

---

[7] CENTRO BÍBLICO VERBO. *O amor jamais passará! Entendendo a primeira carta aos Coríntios*. São Paulo: Editora Paulus, 2008, p. 61.
[8] MACKENZIE, Jonh L. *Dicionário Bíblico*. Tradução de Álvaro Cunha *et al*. 4ª ed. São Paulo: Editora Paulus, 1984. Verbete Homem, p. 426.

visão, sectarismo, inveja, bebedeira, orgias e outras coisas semelhantes" (5,19-21). Por outro lado, "o fruto do Espírito é amor, alegria, paz, paciência, bondade, benevolência, fé, mansidão e domínio de si" (5,22-23).

Paulo, com esse texto, concebe o ser humano como uno, de acordo com a mentalidade hebraica. Esses dois modos de agir referem-se aos comportamentos diferentes que se fazem presentes no ser humano, que pode praticar o bem ou o mal. Mas já que estamos falando de ser humano (homem e mulher), o que Paulo entende por corpo, carne, alma e espírito? Para isso, vamos colocar apenas algumas passagens e definir de uma maneira geral. Caso contrário, ficaria muito cansativo e complicado.[9]

> **Saiba mais...**
>
> CORPO *(soma)* é citado em diversas passagens e tem vários sentidos:
>
> – "Infeliz de mim! Quem me libertará deste corpo de morte?" (Rm 7,24).

---

[9] Se você deseja aprofundar esses termos e seus diversos significados veja: DUNN, James D. G. *A teologia do apóstolo Paulo*. Tradução de Edwino Royer. São Paulo: Editora Paulus, 2003, p. 85-112; HAWTHORNE, Gerald F.; MARTIN, Ralph P.; REID, Daniel G. (Org.). *Dicionário de Paulo e suas cartas*. Tradução de Bárbara Theoto Lambert. São Paulo: Editora Vida Nova, Paulus e Loyola, 2008. Verbetes: carne, corpo, Espírito Santo e psicologia (que fala da alma e espírito "humano").

– "Se Cristo está em vocês, o corpo está morto por causa do pecado, e o Espírito é vida por causa da justiça" (Rm 8,10).

– "Ora, o corpo não é para a imoralidade, e sim para o Senhor; e o Senhor é para o corpo" (1Cor 6,13).

– "E vocês não sabem que aquele que se une a uma prostituta forma com ela um só corpo? Pois assim está na Escritura: 'Os dois serão uma só carne'" (1Cor 6,16).

– "Ou vocês não sabem que o seu corpo é templo do Espírito Santo, que está em vocês e lhes foi dado por Deus? Vocês já não pertencem a si mesmos. Alguém pagou alto preço pelo resgate de vocês. Portanto, glorifiquem a Deus no corpo de vocês" (1Cor 6,19-20).

– "Ora, vocês são o corpo de Cristo e são membros dele, cada um no seu lugar" (1Cor 12,27).

– "O mesmo acontece com a ressurreição dos mortos: o corpo é semeado corruptível, mas ressuscita incorruptível" (1Cor 15,42).

– "De agora em diante ninguém mais me moleste, pois trago em meu corpo as marcas de Jesus" (Gl 6,17).

Dunn diz que *"soma* como corporificação significa mais que mero corpo físico: é o 'eu' corporificado, o meio com o qual 'eu' e o mundo agimos um sobre o outro".[10]

CARNE *(sarx)*, dentre as diversas citações e significados, temos:

– "Uma vez que o Espírito de Deus habita em vocês, vocês já não estão sob o domínio da carne, mas sob o Espírito" (Rm 8,9).

– "Porque a carne tem desejos que estão contra o Espírito, e o Espírito contra a carne" (Gl 5,17).

– "Os que pertencem a Cristo crucificaram a carne junto com suas paixões e desejos" (Gl 5,24).

– "Ninguém odeia a sua própria carne; pelo contrário, a nutre e dela cuida, como Cristo faz com a Igreja, porque somos membros do corpo dele. Por isso, o homem deixará seu pai e sua mãe e se unirá à sua mulher, e os dois serão uma só carne" (Ef 5,29-31).

– "Nós colocamos a nossa glória em Jesus Cristo e não confiamos na carne" (Fl 3,3).

Dunn diz que "carne para Paulo não era nem não espiritual e nem pecaminosa. O termo simplesmente indicava e caracterizava a fraqueza de uma

---

[10] DUNN, James D. G. *A teologia do apóstolo Paulo*. Tradução de Edwino Royer. São Paulo: Editora Paulus, 2003, p. 87.

humanidade constituída como carne e sempre vulnerável à manipulação dos seus desejos e necessidades como carne".[11]

Fazendo um resumo da relação corpo e carne, na visão de Paulo, e de modo simplificado, ele diz: "'corpo' denota um *ser no mundo,* enquanto 'carne' denota um *'pertencer ao mundo'*".[12]

ALMA *(psyche)* e **ESPÍRITO** *(pneuma)*:

– "Que o próprio Deus da paz conceda a vocês a plena santidade. Que o espírito, a alma e o corpo de vocês sejam conservados de modo irrepreensível para a vinda de Nosso Senhor Jesus Cristo" (1Ts 5,23).

– "Uma só coisa: comportem-se como pessoas dignas do Evangelho de Cristo. Desse modo, indo vê-los ou estando longe, eu ouça dizer que vocês estão firmes num só espírito, lutando juntos numa só alma pela fé do Evangelho" (Fl 1,27).

– "Adão, o primeiro homem, tornou-se um ser vivo, mas o último Adão tornou-se espírito que dá a vida" (1Cor 15,45).

---

[11] DUNN, James D. G. *A teologia do apóstolo Paulo.* Tradução de Edwino Royer. São Paulo: Editora Paulus, 2003, p. 102.
[12] DUNN, James D. G. *A teologia do apóstolo Paulo.* Tradução de Edwino Royer. São Paulo: Editora Paulus, 2003, p. 104.

Analisamos, anteriormente, a questão do corpo e da carne e, agora, vamos analisar a questão da alma e do espírito (humano), no sentido da vida humana (homem e mulher).

No uso do grego clássico a *psyche* é "o núcleo essencial do homem que pode ser separado do seu corpo e não participa da dissolução do corpo". Aqui está a origem do conceito de "imortalidade da alma", como existência contínua de uma parte interior, oculta da pessoa humana após a morte. No pensamento hebraico, ao contrário, *nefesh* denota toda a pessoa, o *"nefesh* vivo" de Gn 2,7, [...] pois os dois termos *(psyche/nefesh e pneuma/ruah)* exprimem uma identificação original de "sopro ou hálito" como a força vital. [...] *pneuma* denotando mais a dimensão do ser humano direcionada para Deus, *psyche* mais limitada à força vital em si. [...] e abrindo o espírito humano ao Espírito divino que o ser humano pode ser completo.[13]

Carlos Mesters diz que *"carne* significa o ser humano fechado em si mesmo, sem abertura para Deus, entregue às influências da ideologia domi-

---

[13] DUNN, James D. G. *A teologia do apóstolo Paulo*. Tradução de Edwino Royer. São Paulo: Editora Paulus, 2003, p. 109-111.

nante. *Espírito* significa o ser humano enquanto aberto para Deus e para a nova visão de mundo que nos foi revelada em Jesus".[14]

Paulo então exorta os gálatas e a todos nós, em relação ao nosso modo de comportar e agir: "Os que pertencem a Cristo crucificaram a carne junto com suas paixões e desejos. Se vivemos pelo Espírito, caminhemos também sob o impulso do Espírito" (5,24-25).

---

[14] MESTERS, Carlos. *Paulo Apóstolo – um trabalhador que anuncia o Evangelho.* 10ª ed. São Paulo: Editora Paulus, 2008, p. 100.

7. CARTA AOS EFÉSIOS

1. Conhecendo a comunidade de Éfeso

Durante a segunda viagem missionária, Paulo, Priscila e Áquila vão a Éfeso, onde Paulo conversa com os judeus e estes pedem que ele permaneça. Então, diz: "Voltarei de novo para junto de vocês, se Deus quiser" (At 18,21). Paulo vai a Antioquia, e o casal permanece em Éfeso e trabalha na formação de uma comunidade cristã, inclusive, a Apolo, "com mais precisão, expuseram-lhe o Caminho de Deus" (At 18,26).

Em sua terceira viagem missionária, Paulo vai a Éfeso e lá encontra doze homens que tinham recebido só o batismo de João. Ele os batizou e lhes impôs as mãos, e eles receberam o Espírito Santo (cf. At 19,1-7). Conversa com os judeus durante três meses, mas devido à incredulidade deles, Paulo vai ficar dois anos anunciando a Palavra do Senhor aos habitantes da Ásia, judeus e gregos (cf. At 19,8-10). Possivelmente, Paulo tenha ficado (quase) três anos em Éfeso (cf. At 20,31), sendo o período mais longo que permaneceu em uma cidade. Isso se deve ao fato de ser Éfeso a capital da Ásia e também um ponto estratégico para a sua evangelização e missão de anunciar o evangelho de Jesus Cristo, para escrever cartas, viajar e acompanhar as comunidades (igrejas) já fundadas, inclusive na Europa.

Éfeso[1] era a capital da província romana da Ásia Menor (atual Turquia), tinha um grande centro comercial e administrativo e um teatro com capacidade para 24 mil pessoas sentadas, um estádio imenso, onde havia várias competições atléticas, lutas de gladiadores e outros, mercados, banhos e ginásios e, possivelmente, até escola de medicina. Éfeso era a sede dos "Jogos Comuns da Ásia". Havia o culto a Ártemis, que era muito difundido, ao ponto de, durante um conflito quando Paulo foi acusado de anunciar Jesus Cristo e desencaminhar muita gente em Éfeso e na Ásia Menor, o secretário dizer: "Cidadãos de Éfeso, quem dentre os homens não sabe que a cidade de Éfeso guarda o templo da grande Ártemis e a sua estátua que caiu do céu?" (At 19,35). Esse culto tinha estreita ligação com a magia, a ponto de Éfeso ter fama de centro de práticas mágicas na Antiguidade.

Estudiosos afirmam que Paulo ficou preso em Éfeso (56-57), mas ficou preso também em Cesareia (58-60) (cf. At 24,23–26,32) e em Roma.

> Por isso, eu, Paulo, prisioneiro de Cristo em favor de vocês, os pagãos... (Ef 3,1).

---

[1] Algumas informações foram extraídas do Dicionário de Paulo e suas cartas, in HAWTHORNE, Gerald F.; MARTIN, Ralph P.; REID, Daniel G. (Org.). *Dicionário de Paulo e suas cartas*. Tradução de Bárbara Theoto Lambert. São Paulo: Editora Vida Nova, Paulus e Loyola, 2008. Verbete Éfeso, de C. E. Arnold, p. 434-438.

... mas prefiro pedir por amor. Quem faz este pedido sou eu, o velho Paulo, agora também prisioneiro de Jesus Cristo. Peço-lhe em favor de Onésimo, o filho que eu gerei na prisão (Fm 9-10).

Não sabemos com precisão o motivo pelo qual Paulo foi condenado. Naquela época, era muito fácil condenar alguém pobre e que criasse dificuldade para a "ordem" do Império Romano.

Embora ficasse com os movimentos impedidos, a prisão de Paulo não foi tão severa. Não ficou confinado numa solitária; podia receber visitas e enviar cartas. Pôde contar com secretários profissionais para escrever as cartas aos Filipenses, aos Colossenses e a Filêmon.[2]

Há dúvidas entre os biblistas se essa carta aos efésios foi escrita por Paulo ou por algum discípulo seu. Ao que tudo indica, foi escrita num período mais tardio. Há, porém, muita relação com a carta aos colossenses. Além do mais, Paulo morou quase três anos em Éfeso e seria contraditório dizer: "Fiquei sabendo da fé que vocês têm no Senhor Jesus e do amor de vocês para com todos os cristãos" (1,15). Todavia, há indícios de que a saudação, em que aparece "aos cristãos que estão em Éfeso" (cf. 1,1), não aparece em alguns manuscritos mais confiáveis. É possível que fosse originalmente uma carta circular, carta geral ou

---

[2] MURPHY-O´CONNOR, Jerome. *Paulo de Tarso: história de um apóstolo*. Tradução de Valdir Marques. São Paulo: Editora Paulus e Loyola, 2007, p. 158.

carta aberta para as igrejas ou comunidades vizinhas de Éfeso. C. E. Arnold, referindo-se à carta aos efésios, diz:

> Nesta carta, Paulo descreve a Igreja como um edifício, a "morada de Deus" (Ef 2,19-22), um corpo que cresce em ligação com sua cabeça que dá liderança e provisão (Ef 1,23; 4,16; 5,23), como uma mulher em relação ao seu marido amoroso e cheio de cuidado (Ef 5,25-32). Cada uma dessas imagens mostra continuidade e também progresso em relação ao ensinamento paulino anterior a respeito da Igreja.[3]

Somos livres e reconciliados em Cristo, todos os seus seguidores são membros da Igreja e participam desse corpo, cuja cabeça é Cristo.

2. A CONSTRUÇÃO DO NOVO POVO DE DEUS (2,11-22)

Paulo vai dizer que, em Jesus Cristo,

> vocês que estavam longe foram trazidos para perto, graças ao sangue de Cristo. Cristo é a nossa paz. De dois povos, ele fez um só. Na sua carne derrubou o muro da

---

[3] Hawthorne, Gerald F.; Martin, Ralph P.; Reid, Daniel G. (Org.). *Dicionário de Paulo e suas cartas*. Tradução de Bárbara Theoto Lambert. São Paulo: Editora Vida Nova, Paulus e Loyola, 2008. Verbete Efésios, carta aos, de C. E. Arnold, p. 433.

separação: o ódio. Aboliu a Lei dos mandamentos e preceitos. Ele quis, a partir do judeu e do pagão, criar em si mesmo um homem novo, estabelecendo a paz. Quis reconciliá-los com Deus num só corpo, por meio da cruz; foi nela que Cristo matou o ódio (2,13-16).

O muro foi derrubado e as barreiras desfeitas. O ódio, a divisão já não têm mais espaço, pois o sangue de Cristo, derramado na cruz, fez do judeu e do pagão um homem novo, estabelecendo-se a paz. Assim sendo, todos são:

> concidadãos do povo de Deus e membros da família de Deus. [...] pertencem ao edifício que tem como alicerce os apóstolos e profetas; e o próprio Jesus Cristo é a pedra principal dessa construção. Em Cristo, toda construção se ergue, bem ajustada, para formar um templo santo no Senhor. Em Cristo, vocês também são integrados nessa construção, para se tornarem morada de Deus, por meio do Espírito (2,19-22).

A Igreja é vista como uma construção, um edifício, onde todos são integrados para ser morada de Deus, por meio do Espírito. A razão de ser e existir dessa construção é Jesus Cristo, a pedra principal, que une, dá segurança e sustenta. A igreja, aqui, é vista como uma construção para se tornar morada de Deus por meio do Espírito. Todos, isso mesmo, todos são chamados por Cristo a construírem essa morada (igreja), onde, pelo seu sangue, todos foram reconciliados, o muro da separação foi destruído e "um homem novo", o amor e a paz foram estabelecidos.

"Se Cristo é a cabeça não só da Igreja que congrega judeus e gentios, mas cabeça da humanidade e até do universo, o apelo para a unidade não tem limites nem conhece fronteiras".[4]

É inútil e perda de tempo tentar ver, nesse texto, uma Igreja institucional ou hierárquica. Ela é comunidade, um organismo, onde todos, unidos a Cristo, são membros da família de Deus e devem, como os apóstolos e profetas, doarem suas vidas, viverem no amor e servirem a todos.

3. A RELAÇÃO ENTRE MARIDO E MULHER E CRISTO E A IGREJA (5,21-33)

Paulo vai descrever a união de Cristo para com a Igreja e do marido para com a esposa, e destes em relação a Cristo, através da imagem do casamento, que é uma união no amor.

Estamos diante de um dos textos mais difíceis e polêmicos em Paulo (leia Ef 5,21-33), em que há grandes comentários, discussões, críticas e discriminações. Muitas pessoas, que lutam pela igualdade dos direitos entre homens e mulheres e por uma libertação feminina digna, têm horror e detestam este texto, e até mesmo alguns padres e pastores sentem-se desconfortáveis em suas pregações aos fiéis em relação a ele. Lembrome de um estudo sobre Paulo, quando num trabalho em grupo

---

[4] CEBI. *Paulo e suas cartas*. Roteiros para reflexão X. São Leopoldo-RS: Cebi. São Paulo: Editora Paulus, 2000, p. 89.

sobre tal texto, uma mulher disse que Paulo era mal-amado, frustrado, machista, antifeminista etc. Será?

Por trás de um texto existe sempre um contexto social, a cultura, as relações entre homens e mulheres e outros. Lendo vários comentários a respeito, uns elogiam, outros detonam, outros ficam em cima do muro...

Rapidamente, do capítulo 1 ao 3, de Efésios, temos uma visão geral de vários ensinamentos a respeito da fé em Jesus Cristo. A partir do capítulo 4 até o final 6,20 (pois no 6,21-24 são as saudações finais), temos exortações e ensinamentos de como vivenciar a fé em Jesus Cristo, na própria vida. Então, vamos ao texto.

"Sejam submissos uns aos outros no temor a Cristo" (5,21) é um princípio geral do respeito e do bom senso de todos em relação a Cristo. Aqui, temos de entender a exortação inicial:

> Por isso, eu, prisioneiro no Senhor, peço que vocês se comportem de modo digno da vocação que receberam. Sejam humildes, amáveis, pacientes e suportem-se uns aos outros no amor. Mantenham entre vocês laços de paz, para conservar a unidade do Espírito. Há um só corpo e um só Espírito... (4,1-4).

Esse "ser submissos" não se refere à escravidão, à humilhação. Vejamos:

> Mulheres, sejam submissas a seus maridos, como ao Senhor. De fato, o marido é a cabeça da sua esposa,

assim como Cristo, salvador do Corpo, é a cabeça da Igreja. E assim como a Igreja está submissa a Cristo, assim também as mulheres sejam submissas em tudo a seus maridos (5,22-24).

Aqui, duas palavras são chaves e fundamentais: submissão e cabeça. Na sociedade romana, o homem era "a cabeça da casa" e mandava em tudo; a mulher, filhos e escravos eram submissos a ele.

Somente o *paterfamilias* era reconhecido como pessoa completa aos olhos da lei e da sociedade romanas. Como tal ele tinha poder de vida e morte sobre os outros membros da família. [...] Na terminologia legal, ter "cabeça" *(caput)* era ser parte integrante da sua família legítima. Se alguém era adotado por outra família, esse indivíduo perdia a "cabeça". Em Cristo, os fiéis recebiam a oferta de uma nova cabeça com sua nova família, da qual Cristo era a cabeça.[5]

Então, Paulo se serve de um costume da época, em que o marido era a cabeça da mulher e esta tinha de ser submissa a ele, e coloca essa relação em comparação a Cristo, como cabeça da Igreja, que é sua esposa, e o resultado é surpreendente.

---

[5] HAWTHORNE, Gerald F.; MARTIN, Ralph P.; REID, Daniel G. (Org.). *Dicionário de Paulo e suas cartas*. Tradução de Bárbara Theoto Lambert. São Paulo: Editora Vida Nova, Paulus e Loyola, 2008. Verbete Cabeça, de C. C. Kroeger, p. 167.

> Maridos, amem suas mulheres, como Cristo amou a Igreja e se entregou por ela; assim, ele a purificou com o banho de água e a santificou pela Palavra, para apresentar a si mesmo uma Igreja gloriosa, sem mancha nem ruga ou qualquer outro defeito, mas santa e imaculada (5,25-27).

Enquanto alguns esperavam que Paulo fosse dizer o modo em que deveria ser essa submissão, a surpresa acontece. É exatamente ao contrário. Ele pede para os maridos amarem suas mulheres como Cristo amou a Igreja. Não existe submissão, e sim amor. Fala também do banho de água que,

> segundo os costumes do antigo Oriente, a noiva era banhada e enfeitada, depois os "filhos das bodas" (os amigos do noivo) iam apresentá-la ao noivo. No caso místico da Igreja, foi Cristo que lavou sua noiva de toda mancha pelo banho do batismo, para apresentá-la a si mesmo.[6]

Em seguida, Paulo diz:

> Portanto, os maridos devem amar suas mulheres como a seus próprios corpos. Quem ama sua mulher, está amando a si mesmo. Ninguém odeia a sua própria carne; pelo contrário, a nutre e dela cuida, como Cristo faz com a Igreja, porque somos membros do corpo dele.

---

[6] BÍBLIA DE JERUSALÉM. São Paulo: Editora Paulus, 2002, p. 2046, letra b (nota de rodapé).

Por isso, o homem deixará seu pai e sua mãe e se unirá à sua mulher, e os dois serão uma só carne. Esse mistério é grande: eu me refiro a Cristo e à Igreja. Portanto, cada um de vocês ame a sua mulher como a si mesmo, e a mulher respeite o seu marido (5,28-33).

E o que ele diz é claro: deixem a submissão e vivam no amor; deixem a "cabeça" como autoridade, poder, domínio, como fazem os pagãos e os opressores, e entendam a "cabeça" como origem, fonte e começo de uma vida nova. Essa vida nova começa no batismo "com o banho de água", "pois todos vocês, que foram batizados em Cristo, se revestiram de Cristo. Não há mais diferença entre judeu e grego, entre escravo e homem livre, entre homem e mulher, pois todos vocês são um só em Jesus Cristo" (Gl 3,27-28).

Igualdade e amor é o argumento de Paulo, e, para isso, diz aos efésios: "Vocês devem deixar de viver como viviam antes, como homem velho que se corrompe com paixões enganadoras" (4,22). Fazer da esposa uma escrava, dominá-la, tratá-la como objeto e exercer autoridade e poder, como "cabeça", em que ela seja submissa ao seu "Senhor", ao marido, faz parte do "homem velho".

Paulo diz que, "vivendo o amor autêntico, cresceremos sob todos os aspectos em direção a Cristo, que é a Cabeça" (4,15), além do mais "é preciso que [...] se renovem pela transformação espiritual da inteligência e se revistam do homem novo, criado segundo Deus na justiça e na santidade que vem da verdade" (4,23-24).

Se Cristo é a cabeça da Igreja e o marido a cabeça da esposa, e se todos devem submeter-se a Cristo, e a mulher submeter-se ao esposo, o convite de Paulo é para que eles deixem o homem velho e se purifiquem com o banho de água (batismo), e se revistam do homem novo, e aprendam com Cristo, que é cabeça e esposo: "Maridos, amem suas mulheres, como Cristo amou a Igreja e se entregou por ela" (5,25). Com todas as letras, fica claro que a relação entre marido e mulher não deve ser de submissão (escrava/senhor) e nem de "cabeça", como autoridade (homem velho), e sim de "cabeça", como fonte de entrega e serviço, assim como fez Jesus, que é cabeça da Igreja.

A relação é "maridos, amem suas mulheres, como Cristo amou a Igreja"; "maridos devem amar suas mulheres como a seus próprios corpos"; "os dois serão uma só carne" e "cada um de vocês ame a sua mulher como a si mesmo, e a mulher respeite o seu marido".

Não se trata aqui de defender, criticar, absolver ou condenar Paulo. Trata-se de olhar o texto, contexto, costumes e "ver" o ensinamento que ele quis transmitir. A meu ver, esse texto diz que a submissão, no sentido de escrava, faz parte do homem velho, chamado a ser purificado com o banho de água para se revestir do homem novo, e as relações entre marido e mulher, e todos se baseiam no amor e na igualdade.

O problema é que algumas pessoas, até mesmo alguns "estudiosos", não conseguem enxergar o texto todo e ficam parados em: "mulheres, sejam submissas em tudo a seus maridos", esquecendo-se de fazer a relação feita por Paulo quanto a Cristo e à Igreja, quando então os maridos são chamados a amar suas mulheres, como Cristo amou a Igreja, bem como a cuidar delas, como Cristo cuida da Igreja. Às vezes, o olhar também é parcial, pois se uma pessoa tem 96 qualidades e 4 defeitos, muitos são condicionados a olhar somente os 4 defeitos e não enxergam as 96 qualidades. Paulo tem seus defeitos e qualidades como todos nós temos, e isso, ao longo desse livro, você viu e verá, mas, especificamente nesse texto, Paulo enxergou muito além da época e viu que a verdadeira relação entre marido e mulher, da mesma forma entre Cristo e a Igreja, tinha um segredo, um mistério e que foi revelado: o amor.

Na sequência, Paulo coloca:

Filhos, obedeçam a seus pais no Senhor, pois isso é justo. "Honre seu pai e sua mãe" é o primeiro mandamento, e vem acompanhado de uma promessa: "para que você seja feliz e tenha vida longa sobre a terra".

Pais, não deem aos filhos motivo de revolta contra vocês; criem os filhos, educando-os e corrigindo-os como quer o Senhor (6,1-4).

8. CARTA AOS FILIPENSES

1. Conhecendo a comunidade de Filipos

Antes de descrever esta comunidade, vamos dar sete motivos pelos quais ela é "diferente":

– A comunidade nasceu com as mulheres que estavam rezando junto ao rio, uma delas chamada Lídia:

> O Senhor abrira o seu coração para que aderisse às palavras de Paulo. Após ter sido batizada, assim como toda a sua família, ela nos convidou: "Se vocês me consideram fiel ao Senhor, permaneçam em minha casa". E nos forçou a aceitar (At 16,14-15).

Nada de sinagoga, judeus ou homens, a comunidade se forma a partir de uma casa e de um grupo de mulheres.

– Paulo diz: "Peço a Evódia e a Síntique que façam as pazes no Senhor. [...] porque elas me ajudaram na luta pelo Evangelho, junto com Clemente e os meus outros colaboradores. Seus nomes estão no livro da vida" (4,2-3). Existiam muitas comunidades cristãs presididas por mulheres. Embora houvesse algumas coisas a serem acertadas entre essas duas líderes, isso não era novidade, pois também Pedro e Paulo tinham algumas divergências (cf. Gl 2,11-14).

– Como a comunidade cristã se reunia nas casas, também chamada de Igreja doméstica – "Reunindo as pessoas nas casas, o Evangelho permite às mulheres assumir funções importantes de liderança nas comunidades"[1] –, tudo leva a crer que essas mulheres (Lídia, Evódia, Síntique e muitas outras) eram as responsáveis pela Igreja de Jesus Cristo em suas casas e, possivelmente, como todas as comunidades cristãs, ouviam os ensinamentos dos apóstolos, aqui Paulo, e viviam "na comunhão fraterna, no partir do pão e nas orações. [...] e nas casas partiam o pão, tomando alimento com alegria e simplicidade de coração" (cf. At 2,42.46). Em relação à fração do pão ou partir do pão,

> a expressão, tomada em si mesma, evoca a refeição judaica na qual quem preside pronuncia uma bênção antes de repartir o pão. Mas, na linguagem cristã, visa ao rito eucarístico (1Cor 10,16; 11,24; Lc 22,19p; 24,35). Este não era celebrado no Templo, mas numa casa; e não era separado de uma verdadeira refeição (cf. 1Cor 11,20-34).[2]

---

[1] BORTOLINI, José. *Como ler a carta aos filipenses*. São Paulo: Edições Paulinas, 1991, p. 17.
[2] BÍBLIA DE JERUSALÉM. São Paulo: Editora Paulus, 2002, p. 1905, letra g (nota de rodapé).

Possivelmente, como líderes da comunidade, elas eram responsáveis pela "fração do pão ou rito eucarístico"; tempos depois, este passou a ser reservado só aos homens que recebem o sacramento da ordem.

– A comunidade nasce por obra divina: "Durante a noite, Paulo teve uma visão: na sua frente estava de pé um macedônio que lhe suplicava: 'Venha à Macedônia e ajude-nos!'" (At 16,9).

– Foi a primeira cidade evangelizada por Paulo fora da Ásia, pois estava situada no continente europeu. Todavia, naquela época, já existia a comunidade cristã em Roma, também no continente europeu.

– Paulo escreveu esta carta (toda ou boa parte) na prisão. Embora tivesse escrito outras cartas na prisão, esta é diferente e é visível uma alegria contagiante.

– É uma carta diferente de todas as outras e revela este Paulo:

> Deus é testemunha de que eu quero bem a todos vocês com a ternura de Jesus Cristo (1,8).
> ... porque vocês estão no meu coração (1,7);
> ... rezo por todos com alegria (1,4);
> ... para ajudá-los a progredir e a ter alegria na fé (1,25).

Portanto, se há um conforto em Cristo, uma consolação no amor, se existe uma comunhão de espírito, se existe ternura e compaixão, completem a minha alegria (2,1-2).

Assim, também vocês fiquem contentes e se alegrem comigo (2,18).

Assim, meus queridos e saudosos irmãos, minha alegria e minha coroa, continuem firmes no Senhor, ó amados (4,1).

Foi grande a minha alegria no Senhor (4,10).

O que sabemos sobre Filipos?[3] Primeiro que era uma cidade muito antiga, de nome Crenides (fontes). Filipe II, da Macedônia, construiu-a em 358-357 a.C., no local dessa antiga cidade. Em 167 a.C., o Império Romano conquistou a Macedônia e, consequentemente, Filipos, que passou a ser uma rota terrestre que ligava Roma ao Oriente. Em 42 a.C., foi reconstruída e tornou-se um posto avançado militar, povoada por veteranos de guerra e, com isso, recebeu o título de colônia romana, que gozava de cidadania romana.

Paulo, Silas, Timóteo e, ao que tudo indica, Lucas, de acordo com Atos dos Apóstolos, estiveram em Filipos du-

---

[3] Algumas informações foram extraídas do Dicionário de Paulo e suas cartas, in HAWTHORNE, Gerald F.; MARTIN, Ralph P.; REID, Daniel G. (Org.). *Dicionário de Paulo e suas cartas*. Tradução de Bárbara Theoto Lambert. São Paulo: Editora Vida Nova, Paulus e Loyola, 2008. Verbete Filipenses, carta aos, de G. F. Hawthorne, p. 557; e in MACKENZIE, Jonh L. *Dicionário Bíblico*. Tradução de Álvaro Cunha *et al*. 4ª ed. São Paulo: Editora Paulus, 1984. Verbete Filipos, p. 355.

rante a segunda viagem missionária. Inicialmente, anunciaram a Palavra a um grupo de mulheres, junto a um rio. Segundo Lucas, Paulo e Silas foram presos e depois soltos, e o tempo em que permaneceram nessa cidade, não sabemos.

A carta aos filipenses é atribuída a Paulo e, sem sombra de dúvidas, revela uma relação de amor e ternura entre ele e a comunidade, que, na sua origem, era composta por mulheres. A data em que foi escrita essa carta é motivo de controvérsias. Os estudiosos afirmam que, na verdade, foram três cartas; outros pensam que não.

Murphy-O'Connor[4] coloca que foi no fim da primavera, ou no início do verão de 53 d.C., que Epafrodito, de Filipos, chegou a Éfeso trazendo a doação para Paulo, que ficou doente. Este então escreveu uma carta de agradecimento (cf. Fl 4,10-20) e pediu alguém para levá-la a Filipos. Depois escreve (cf. Fl 1,1–3,1 e 4,2-9) a que seria a segunda carta e, finalmente, a terceira (cf. Fl 3,2–4,1).

Outro problema é determinar a data e o local em que foi escrita. Os estudiosos afirmam que essa carta (ou boa parte) foi escrita na prisão. De fato, Paulo deixa claro: "Todos ficaram sabendo que estou na prisão por causa de Cristo. E a maioria dos irmãos, vendo que estou na prisão, tem mais confiança no Senhor e mais ousadia para anunciar sem medo a Palavra" (1,13-14). Na prisão, mas onde? Em Éfeso

---

[4] MURPHY-O'CONNOR, Jerome. *Paulo de Tarso: história de um apóstolo*. Tradução de Valdir Marques. São Paulo: Editora Paulus e Loyola, 2007, p. 161-164.

(53-54-57), Cesareia (58-60) ou Roma (60-63)? O`Connor é favorável a Éfeso. Todavia, outros estudiosos dizem que pode ter sido em Cesareia ou até mesmo em Roma.

Seja como for, ou em qual prisão escreveu, o importante é que temos essa linda carta que revela o amor e a ternura de Paulo e, ao mesmo tempo, a solidariedade e o amor da comunidade para com o seu fundador.

Conforme colocamos no início, essa carta é "diferente" e nos chama a atenção em vários aspectos. Com amor e ternura, vamos abordar três temas, um de cada das três cartas escritas.

2. Ter os mesmos sentimentos de Jesus Cristo: Hino (2,6-11)

Antes de comentar a riqueza e a profundidade desse hino cristológico, Paulo exorta a comunidade de Filipos a ter "uma só aspiração, um só amor, uma só alma e um só pensamento", e nada fazer por competição, glória ou buscando os próprios interesses, mas com humildade e para o serviço, tendo os mesmos sentimentos que havia em Jesus Cristo: o amor, o esvaziamento e a entrega da própria vida (cf. 2,1-5). Os sentimentos não são só "sentir", mas no sentido de viver, decidir e ser do próprio Jesus. Daí esse belíssimo hino. O que se comenta é se ele é de autoria de Paulo ou se já existia antes e era cantado na liturgia da comunidade cristã, sendo composto por alguma pessoa, ou se existiam partes e Paulo o adaptou para mostrar a grandeza de Jesus Cristo, que, sendo Deus, se fez homem para salvar a humanidade. Não se tem consenso nesse sentido: uns afirmam que é de Paulo e outros que talvez esse hino já existisse.

Ele tinha a condição divina,
mas não se apegou a sua igualdade com Deus (2,6).

Jesus, como ser divino – Deus –, decide não se apegar a tal condição. Enquanto que Adão *(adam)*, que significa "homem", mas no sentido de humano e humanidade, criado "à imagem de Deus" (cf. Gn 1,27), procura "ser como Deus" (cf. Gn 3,5.22).

Pelo contrário, esvaziou-se a si mesmo,
assumindo a condição de servo
e tornando-se semelhante aos homens.
Assim, apresentando-se
como simples homem (2,7).

O esvaziar-se *(kénosis)* pode estar no sentido da encarnação. Jesus, sendo de condição divina, assume a condição humana, e não só isso, assume também a condição de servo (ou escravo). Aqui, podemos fazer referência ao servo sofredor do profeta Isaías:[5] especificamente Is 52,13–53,12.

---

[5] Se você deseja obter mais informações sobre os cânticos do servo sofredor, leia os livros de minha autoria: ALBERTIN, Francisco. *Explicando o Antigo Testamento*. 2ª ed. Aparecida: Editora Santuário, 2007, sobre o profeta Isaías, e ALBERTIN, Francisco. *Explicando o Novo Testamento – Os Evangelhos de Marcos, Mateus, Lucas e Atos dos Apóstolos*. Aparecida: Editora Santuário, 2008, p. 45-

*humilhou-se a si mesmo,
tornando-se obediente até a morte,
e morte de cruz!* (2,8).

Jesus se humilha e é obediente até a morte – e não é uma morte qualquer, e sim morte de cruz. É a suprema humilhação. Essa era a pena do Império Romano para os bandidos e subversivos, em que os condenados ficavam completamente nus, despidos de qualquer dignidade. Enquanto Jesus é obediente, Adão desobedece a Deus, comete uma transgressão (cf. Gn 3,6ss.) e não obedece à ordem do Criador (cf. Gn 2,16-17). A cruz é um dos temas principais de Paulo, conforme já vimos. O amor tudo suporta: a questão da cruz (cf. 1Cor 1,17-25). A humilhação chega ao ponto máximo da doação e entrega da própria vida. Devido à sua opção de vida em anunciar a Palavra de Deus, que liberta e é vida, e denunciar os grandes e suas injustiças, Jesus foi condenado a morrer em uma cruz, a qual ele abraça livremente.

Observe que, nesse hino até agora (2,6-8), a iniciativa de entregar a própria vida, de esvaziar-se, de humilhar-se, de ser obediente e morrer em uma cruz é do próprio Jesus, que é o sujeito e a faz livremente e por amor.

A partir de agora, é Deus quem vai agir. Como Jesus se humilhou, assim pelo poder e pela vontade do Pai, ele será exaltado.

48, a fim de saber como Jesus atribui a si mesmo a questão do servo sofredor. Ou, ainda, leia nosso artigo: FERREIRA, Joel A.; ALBERTIN, Francisco; TEZZA, Maristela. "O Messias de Quelle, Marcos e Mateus", in *Fragmentos de Cultura*. Goiânia, vol. 16, n. 5/6, p. 447-463, mai./jun. 2006.

*Por isso, Deus o exaltou grandemente,
e lhe deu o Nome
que está acima de qualquer
outro nome;
para que, ao nome de Jesus,
se dobre todo joelho
no céu, na terra e sob a terra;
e toda língua confesse
que Jesus Cristo é o Senhor,
para a glória de Deus Pai* (2,9-11).

Quando se diz que Jesus se humilhou e foi obediente até a morte, e morte de cruz, e, na sequência, que Deus o exaltou grandemente com a ressurreição, a ascensão e o estar sentado à sua direita, o nome aqui é Senhor, o maior de todos. Em seguida, há também um texto: "E por mim jurará toda língua, dizendo: 'Só em Javé se encontra justiça e força'" (Is 45,23-24). Jesus é o Senhor e não o Imperador Romano, pois todos os que estão no céu, na terra (ou abaixo da terra) e no mar, simbolizando toda a criação, devem adorar a Jesus Cristo, que é o Senhor. Essa era a profissão de fé das primeiras comunidades cristãs, sendo que tudo estava em harmonia, pois era feito "para a glória de Deus Pai".

O excepcional hino cristológico de 2,6-11, um dos mais notáveis monumentos da primitiva fé cristã, seja escrito pelo próprio Paulo, seja citado por ele na liturgia. Os seis versos do hino são seis estrofes que enunciam os seguintes temas: a pré-existência divina de Cristo; a humilhação da encarnação; a humilhação da morte; a glorificação celeste de Cristo; a adoração do universo; o novo título conquistado pelo Cristo glorificado.[6]

É um resumo da verdadeira fé em Jesus Cristo e, esquematicamente, de modo resumido, podemos, a partir da letra V (no sentido de ver), enxergar toda a grandeza e beleza desse hino.

Veja esquema a seguir:

---

[6] MACKENZIE, Jonh L. *Dicionário Bíblico*. Tradução de Álvaro Cunha *et al.* 4ª ed. São Paulo: Editora Paulus, 1984, p. 355.

Jesus tinha a condição divina, mas não se apegou à sua igualdade com Deus.

Por isso, Deus o exaltou grandemente e lhe deu o Nome que está acima de qualquer outro nome, para que, ao nome de Jesus, se dobre todo joelho no céu, na terra e sob a terra, e toda língua confesse que Jesus Cristo é o Senhor, para a glória de Deus Pai.

Pelo contrário, esvaziou-se a si mesmo, assumindo a condição de servo e tornando-se semelhante aos homens. Assim, apresentando-se como simples homem, humilhou-se a si mesmo, tornando-se obediente até a morte, e morte de cruz!

Resumindo ainda mais: conforme Paulo disse aos filipenses e hoje diz a todos nós: "Tenham em vocês os mesmos sentimentos que havia em Jesus Cristo" (2,5). Será que estamos dispostos a viver como Jesus viveu?

3. O PRÊMIO MAIOR É JESUS (3,4-14)

Paulo, por diversas vezes, vai utilizar a imagem do esporte para incentivar os cristãos a correrem rumo ao prêmio final, que é Jesus Cristo. Aos coríntios, onde havia um estádio e os jogos esportivos, diz:

> Vocês não sabem que no estádio todos os atletas correm, mas só um ganha o prêmio? Portanto, corram, para conseguir o prêmio. Os atletas se abstêm de tudo; eles, para ganhar uma coroa perecível; e nós, para ganharmos uma coroa imperecível (1Cor 9,24-25).

"Combati o bom combate, terminei a minha corrida, conservei a fé. Agora só me resta a coroa da justiça que o Senhor, justo Juiz, me entregará naquele Dia" (2Tm 4,7-8).

Paulo também vai dizer que correu muito e se esqueceu do que ficou para trás; nesse caso, refere-se à justiça que se alcança pela observância da Lei, em que ele era sem reprovação (cf. 3,4-6), e lança em direção à meta e em vista do prêmio maior: Jesus Cristo.

> Por causa de Cristo, porém, tudo o que eu considerava como lucro, agora considero como perda. E mais ainda: considero tudo uma perda, diante do bem superior que é o conhecimento do meu Senhor Jesus Cristo. Por causa dele perdi tudo, e considero tudo como lixo, a fim de ganhar Cristo, e estar com ele. E isso, não mais mediante uma justiça minha, vinda da Lei, mas com a justiça que vem através da fé em

Cristo, aquela justiça que vem de Deus e se apoia sobre a fé. Quero, assim, conhecer a Cristo, o poder da sua ressurreição e a comunhão em seus sofrimentos, para tornar-me semelhante a ele em sua morte, a fim de alcançar, se possível, a ressurreição dos mortos. Não que eu já tenha conquistado o prêmio ou que já tenha chegado à perfeição; apenas continuo correndo para conquistá-lo, porque eu também fui conquistado por Jesus Cristo. Irmãos, não acho que eu já tenha alcançado o prêmio, mas uma coisa eu faço: esqueço-me do que fica para trás e avanço para o que está na frente. Lanço-me em direção à meta, em vista do prêmio do alto, que Deus nos chama a receber em Jesus Cristo (3,7-14).

Paulo se serve do exemplo dos atletas que têm de ter uma disciplina rígida e se abstêm de muitas coisas em vista da meta de ganhar uma coroa e o prêmio. Você se lembra, nas olimpíadas de Atenas (2004), na Grécia, do berço dos jogos olímpicos? Os atletas, além das medalhas, ganhavam também uma coroa de vencedor. Paulo vai dizer: eles, para ganhar uma coroa perecível, e os cristãos, com disciplina e renúncias, para alcançarem uma coroa imperecível e eterna, devem lançar a sua vida em vista da meta e do prêmio maior: Jesus Cristo.

4. "Tudo posso naquele que me fortalece" (4,10-14)

Essa frase, além de profunda, é linda, pois traz, em si, uma confiança inabalável. Paulo está em Éfeso. Ao que tudo indica, está na prisão por causa de Cristo. É, sem dúvida, um momento difícil e delicado. E, mais uma vez, os filipenses demonstram seu carinho e amor, sendo solidários com ele, enviando-lhe uma ajuda financeira, através de Epafrodito. Veja só o que Paulo diz:

> Foi grande a minha alegria no Senhor, porque finalmente vi florescer de novo o interesse de vocês por mim. Na verdade, vocês já tinham esse interesse antes, mas faltava oportunidade para demonstrá-lo. Não digo isso por estar passando necessidade, pois aprendi a arranjar-me em qualquer situação. Aprendi a viver na necessidade e aprendi a viver na abundância; estou acostumado a toda e qualquer situação: viver saciado e passar fome, ter abundância e passar necessidade. Tudo posso naquele que me fortalece. Entretanto, vocês fizeram bem, tomando parte na minha aflição (4,10-14).

O que Paulo demonstra é que ficou alegre no Senhor ao ver uma comunidade solidária e que segue Jesus Cristo, não tanto pelo dinheiro, mas sim pelo amor e carinho. Isso o confortou e renovou suas forças, o que leva a dizer que eles fizeram bem, tomando parte de sua aflição. Paulo ainda nos dá uma linda lição: está acostumado a toda e qualquer situação, tanto a viver saciado e ter abundância, como a passar fome e necessidade, pois sua meta é Jesus Cristo, é nele que tem as forças necessárias para superar tudo e vencer as prisões, perseguições, e continuar firme no anúncio do Evangelho, pois tudo pode naquele que o fortalece.

Lembro-me de um trabalho pastoral carcerário que realizamos, o qual consistia em levar lanche aos presos, fazer leitura da Bíblia, e, em seguida, eles falavam, cantavam e conversavam muito, inclusive chegamos a jogar futebol com eles. Fomos, porém, testemunhas de muitas conversões, decepções, conquistas e derrotas. Numa quarta-feira de agosto, um preso acenou e pediu a nossa presença, chorava compulsivamente e disse:

– Ontem, minha mulher esteve aqui e disse que, no domingo, na hora da missa, o padre perguntou se alguém gostaria de fazer um pedido a Deus, mas que deveria pedir com fé. O nosso filho (de quatro anos) tinha pedido: "Jesus, domingo que vem é o dia dos pais, e o meu pai está preso. Então, eu vou pedir ao Senhor que tire o meu pai da cadeia, eu estou com saudades dele e quero que, domingo que vem, ele esteja na missa aqui comigo". Disse também que todos se comoveram e ninguém pediu mais nada. Imagine que dia dos pais eu vou passar!

Mas não é que, na sexta-feira, houve uma audiência, que até então ele não sabia, e foi libertado! No domingo, dia dos pais, estava ele, na missa, com o seu filho...

Em Hebreus 13,3, há: "Lembrem-se dos presos, como se vocês estivessem na prisão com eles. Lembrem-se dos que são torturados, pois vocês também têm um corpo".

Paulo e muitos outros cristãos e cristãs foram presos no início do cristianismo. Hoje, quantos de nossos irmãos estão presos não só em cadeias e presídios, mas também a um sistema econômico que tortura os pobres, que condena crianças a viver debaixo de uma ponte, milhares de jovens a não terem sonhos e ideais, milhares de irmãos que passam fome, que estão desempregados, doentes, excluídos e deixados à margem!

Nas obras de amor ou caridade, no Juízo Final, Jesus diz: "Eu estava na prisão, e vocês foram me visitar. [...] Eu garanto a vocês: todas as vezes que vocês fizeram isso a um dos menores de meus irmãos, foi a mim que o fizeram" (Mt 25,36.40). O que Jesus quis dizer e diz hoje com isso?

9. CARTA AOS COLOSSENSES

1. CONHECENDO A COMUNIDADE DE COLOSSAS

Colossas era uma cidade pequena da Frígia, na região conhecida como Ásia Menor e que, conforme já dissemos, corresponde hoje à Turquia. Produzia figos, azeitonas e era famosa por ser um centro de indústria de lã "colossense". Ficava próxima de Éfeso, cerca de 150 quilômetros.

Tudo indica que Paulo não foi o seu fundador e nem lá esteve. Conforme já dissemos, Éfeso era um local estratégico para Paulo acompanhar, visitar, escrever cartas e coordenar todo o trabalho missionário. Assim sendo, possivelmente, quanto ao anúncio do Evangelho, eles "aprenderam de Epafras, nosso querido companheiro de serviço, que nos substituiu fielmente como ministro de Cristo. Foi ele quem nos contou sobre o amor com que o Espírito anima vocês" (1,7-8). Epafras era de Colossas.

Esta foi uma carta escrita na prisão: "Paulo, apóstolo de Jesus Cristo pela vontade de Deus, juntamente com o irmão Timóteo, aos cristãos de Colossas, fiéis irmãos em Cristo"

(1,1-2). Ele fala de vários sofrimentos e pede aos colossenses que rezem por ele, para que possa abrir uma porta para a pregação, pois é por causa de Cristo "que estou preso" (cf. 4,3).

Colossenses parece ser uma carta "complicada" e até difícil de entender. Isso se deve ao fato de que os Frígios

> imaginavam que o céu estava cheio de tronos, soberanias, principados e autoridades, e que o espaço entre a lua e a terra estava infestado de espíritos maus que se encontravam espalhados pelo ares. Pensavam que a região era um campo de batalha entre os espíritos bons e os maus. Alguns filósofos defendiam a ideia de que o mundo em que vivemos é essencialmente mau, oposto a Deus, que é essencialmente bom.[1]

Além, é claro, conforme já vimos na carta aos coríntios, a dualidade entre corpo e alma, em que o corpo é matéria e a alma é imortal.

Por todos esses desafios, fica evidente que não é fácil escrever para uma comunidade com tantos problemas, tantas crenças e com uma visão de mundo diferente. Paulo pede aos colossenses que não se deixem enganar por belos discursos e que tenham cuidado para não se deixarem escravizar, e insiste muito na questão do corpo de Jesus. E como

---

[1] Cf. BORTOLINI, José. *Como ler a carta aos colossenses*. São Paulo: Editora Paulus, 1996, p. 14.

eles gostavam da palavra plenitude, Paulo diz: "É em Cristo que habita, em forma *corporal*, toda a plenitude da divindade. Em Cristo vocês têm tudo de modo pleno. Ele é a cabeça de todo principado e de toda autoridade" (2,9-10).

Agora, vamos entrar na questão mais difícil dessa carta: quem é o seu autor? Aqui, é travada uma batalha intensa: uns dizem que é Paulo, outros que é algum de seus discípulos. Mas, enquanto que, em algumas cartas, tudo leva a crer que foi Paulo o autor e, em outras, tudo leva a crer que foi um de seus discípulos, esta nos deixa uma dúvida cruel. Inicialmente, era atribuída a Paulo; depois, começaram as dúvidas e alguns afirmavam não ser Paulo o autor, e sim um de seus discípulos. Contudo, vejamos algumas pesquisas mais recentes.

Um dos maiores estudiosos de Paulo, James D. G. Dunn, diz: "Embora eu considere que Colossenses se encontra no limite das cartas paulinas autênticas..."[2]

Outro estudioso famoso de Paulo, Jerome Murphy-O'Connor, diz:

> com a competência de retórico treinado, Paulo foi direto ao cerne da falsa doutrina dissecando e corrigindo o hino que Epafras lhe trouxera de Colossos. [...] Paulo tinha assumido a responsabilidade pelo trabalho de seu

---

[2] DUNN, James D. G. *A teologia do apóstolo Paulo*. Tradução de Edwino Royer. São Paulo: Editora Paulus, 2003, p. 825.

ajudante, Epafras, escrevendo carta aos colossenses e aos laodicenses. [...] Paulo aguardava o retorno de Tíquico a Éfeso, trazendo notícias sobre o efeito de sua carta na situação de Colossos.[3]

Ele também afirma que Paulo, mesmo na prisão, contava com secretários para escrever as cartas aos filipenses, aos colossenses e a Filêmon. E para isso, coloca uma nota explicativa dizendo: "Por muito tempo se pensou que essas cartas do cativeiro tivessem sido escritas no tempo da prisão de Paulo em Roma (At 28,16-20); porém essa opinião foi amplamente abandonada por razões muito seguras".[4]

Citando um estudioso brasileiro de Paulo, Bortolini diz: "Se é verdade que há resistências em afirmar que a carta aos Colossenses seja de Paulo, é mais difícil sustentar a hipótese que não seja dele. Tudo leva a crer que Paulo ditou na cadeia essa carta e a assinou (cf. 4,18)".[5]

Então, a carta aos colossenses foi escrita por Paulo? Os estudos mais recentes parecem confirmar isso, embora existam discussões entre os estudiosos.

---

[3] MURPHY-O'CONNOR, Jerome. *Paulo de Tarso: história de um apóstolo*. Tradução de Valdir Marques. São Paulo: Editora Paulus e Loyola, 2007, p. 170-173.
[4] MURPHY-O'CONNOR, Jerome. *Paulo de Tarso: história de um apóstolo*. Tradução de Valdir Marques. São Paulo: Editora Paulus e Loyola, 2007, p. 262 (item 2).
[5] BORTOLINI, José. *Como ler a carta aos colossenses*. São Paulo: Editora Paulus, 1996, p. 8.

2. Hino cristológico (1,15-20)

Paulo também tinha um jeito poético de escrever, mas há sérias dúvidas se foi ele, de fato, quem escreveu os hinos, se já existiam ou só em partes, e se foram adaptados. O'Connor[6] diz que um colossense escreveu parte do hino que Epafras levou a Paulo, que era o seguinte:

Ele é a imagem do Deus invisível.
Primogênito de toda criação.
Pois nele foram criadas todas as coisas.
Todas as coisas por meio dele e para ele foram criadas.
Ele é o começo.
O primogênito dos mortos.
Porque nele a toda Plenitude aprouve habitar.
E por meio dele reconciliar consigo todas as coisas.

Diz também que Paulo percebeu que a honra prestada a Cristo, na verdade, o distanciava. Sua importância cósmica, sua elevação, era tanta que a sua condição terrena e o sofrimento agonizante do salvador crucificado eram deixados de lado.

Fica nítido que Paulo adaptou esse belíssimo hino. Ele era um tanto "celeste" e precisava ser um pouco mais "terrestre". Paulo vai inserir a imagem de Cristo como cabeça do corpo, que é a Igreja, e um dos seus principais temas

---

[6] MURPHY-O'CONNOR, Jerome. *Paulo de Tarso: história de um apóstolo*. Tradução de Valdir Marques. São Paulo: Editora Paulus e Loyola, 2007, p. 167-169.

mostra que o seu sangue foi derramado na cruz. Antes, ele nos diz que: "Deus Pai nos arrancou do poder das trevas e nos transferiu para o Reino do seu Filho amado, no qual temos a redenção, a remissão dos pecados" (1,13-14). O hino ficou assim (1,15-20):

Ele é a imagem do Deus invisível,
o Primogênito,
anterior a qualquer criatura;
porque nele foram criadas
todas as coisas,
tanto as celestes
como as terrestres,
as visíveis como as invisíveis:
tronos, soberanias, principados
e autoridades.
Tudo foi criado por meio dele
e para ele.
Ele existe antes de todas as coisas,
e tudo nele subsiste.
Ele é também a Cabeça do corpo,
que é a Igreja.
Ele é o Princípio,
o primeiro daqueles
que ressuscitam dos mortos,
para em tudo ter a primazia.
Porque Deus, a Plenitude total,
quis nele habitar,
para, por meio dele,

*reconciliar consigo todas as coisas,
tanto as terrestres como as celestes,
estabelecendo a paz
pelo seu sangue derramado na cruz.*

Esse hino é um raio de luz que ilumina toda essa carta. É um fio condutor, e seus principais temas são abordados ao longo dela. Jesus é o Filho amado de Deus Pai e, em seu corpo humano, é a imagem visível do Deus invisível. Esse Deus, que é a plenitude total, quis nele habitar. Tudo gira em torno do humano/divino, que é Jesus que existe antes de qualquer outra criatura e de todas as coisas criadas, sejam celestes ou terrestres, bem como as visíveis e invisíveis. Tudo o que existe foi criado por meio dele e para ele. Ele também é a cabeça do corpo, que é a Igreja. Foi o primeiro a ressuscitar dos mortos – isso mesmo, dos mortos –, pois tinha um corpo e, na cruz, derramou seu sangue para nos salvar e nos reconciliar com Deus, estabelecendo, com isso, para sempre, a paz. Jesus, que tinha um corpo, além de ser a imagem visível de Deus, derramou o seu sangue para nos salvar. A cruz expressa doação, sofrimento, entrega e amor.

Como os colossenses gostavam da sabedoria, Paulo vai dizer que, em Jesus Cristo, "estão escondidos todos os tesouros da sabedoria e ciência" (2,3) e vai além: "É em Cristo que habita, em forma corporal, toda a plenitude da divindade. Em Cristo vocês têm tudo de modo pleno. Ele é a cabeça de todo principado e de toda autoridade" (2,9-10).

Paulo tentou, ao máximo, entrar no mundo deles e mostrar que Jesus é tudo em todos, e a razão de ser e existir do universo, mas não é fácil mudar a visão de mundo das pessoas. Insiste na importância do corpo, ao dizer que, em Cristo, em seu corpo e em seu sangue derramado na cruz, habita toda a plenitude divina.

Enfim, em Jesus, que tem forma corporal, habita Deus, a plenitude total, onde se tem a criação, onde se tem o sangue derramado na cruz, a reconciliação dos homens com Deus e a ressurreição.

3. Despojar-se do homem velho e revestir-se do homem novo (3,5-17)

Como acontece o processo de despojar-se do homem velho e revestir-se do homem novo? Começa com o batismo e se prolonga por toda a vida. É um processo de conversão, de renúncias e, principalmente, de vivência do amor que se vai construindo o homem novo, que se reveste de Cristo. O batismo é um dos temas fundamentais em Paulo. O hino acima (1,15-20), possivelmente, era usado na cerimônia batismal. Paulo afirma sobre Cristo: "Com ele, vocês foram sepultados no batismo, e nele vocês foram também ressuscitados mediante a fé no poder de Deus, que ressuscitou Cristo dos mortos" (2,12). Paulo retoma o mesmo tema em 2,20–3,4, dizendo:

Se vocês morreram com Cristo para os elementos do mundo, por que se submetem a normas? (2,20).

Se vocês foram ressuscitados com Cristo, procurem as coisas do alto, onde Cristo está sentado à direita de Deus. Pensem nas coisas do alto, e não nas coisas da terra (3,1-2).

Seria bom você ler todo o texto (3,5-17), em que Paulo exorta:

> Façam morrer aquilo que em vocês pertence à terra: fornicação, impureza, paixão, desejos maus e a cobiça de possuir, que é uma idolatria. [...] De fato, vocês foram despojados do homem velho e de suas ações, e se revestiram do homem novo que, através do conhecimento, vai renovando-se à imagem do seu Criador. E aí já não há grego nem judeu, circunciso ou incircunciso, estrangeiro ou bárbaro, escravo ou livre, mas apenas Cristo, que é tudo em todos (3,5.9-11).

Mas em que consistia despojar-se (despir) do homem velho e revestir-se do homem novo? Paulo utiliza uma imagem secundária do uso das vestes no momento do batismo (cf. 3,5-17). Antes, era fundamental o anúncio da Palavra, a profissão de fé de que Jesus Cristo é o Senhor. Mas como era a cerimônia do batismo? Não podemos falar já em Paulo e no início das comunidades cristãs em uma cerimônia pública e toda ritual, era simples e havia variantes. Nas cartas e nas comunidades, pressupõe-se que (quase) todos os cristãos adultos eram batizados. Sobre as crianças que pertenciam aos donos das casas, é difícil dizer se também eram batizadas, pois para ser batizado tinha de ser evangelizado e fazer a profissão de fé: "Jesus é o Senhor". Na cerimônia do batismo, o sentido profundo era receber o dom do Espírito. A conversão, a mudança de vida, tinha o simbolismo, qual seja, em tirar as vestes, despojar-se (despir), ficar nu, para se libertar do homem velho e de suas ações, mergulhando numa piscina (nem sempre) para sair do outro lado da água e receber roupas novas, para se revestir do homem novo ou mulher nova em Cristo. A água, o banho, o lavar, o purificar eram gestos presentes em muitas religiões do Oriente. Essa metáfora que Paulo utiliza de tirar a roupa velha e vestir roupas novas, no sentido de mudança de vida, era simbólica, pois,

> nos tempos apostólicos, o simbolismo se prestava de maneira peculiar ao batismo cristão, pois, normalmente, este se realizava por imersão e, aparentemente, com frequência em estado de nudez. [...] Mais tarde, Cirilo de Jerusalém afirmou que era apropriado ser batizado nu, já que Jesus morreu na cruz nesse estado. Mais importante que o simbolismo é a realidade que ele expressa: os batizados "tiraram" sua vida velha e "vestiram" Cristo, desse modo unindo-se a ele e, assim, qualificando-se para participar da vida no Reino de Deus.[7]

---

[7] HAWTHORNE, Gerald F.; MARTIN, Ralph P.; REID, Daniel G. (Org.). *Dicionário de Paulo e suas cartas*. Tradução de Bárbara Theoto Lambert. São Paulo: Editora Vida Nova, Paulus e Loyola, 2008. Verbete Batismo, de G. R. Beasley-Murray, p. 154.

A sequência do texto é belíssima: uma vez batizados, morremos com Cristo para os elementos do mundo (cf. 2,20) (homem velho e mulher velha), e fomos ressuscitados com Cristo para uma vida nova e para as coisas do alto (cf. 3,1). Fazemos parte da nova criação em Cristo, recebemos o dom do Espírito. Sobre isso, vamos aprofundar-nos no estudo da carta aos romanos. Esse é o primeiro significado do batismo, o que leva Paulo a dizer:

> Como escolhidos de Deus, santos e amados, vistam-se de sentimentos de compaixão, bondade, humildade, mansidão, paciência. Suportem-se uns aos outros e se perdoem mutuamente, sempre que tiverem queixa contra alguém. Cada um perdoe o outro, do mesmo modo que o Senhor perdoou vocês. E, acima de tudo, vistam-se com o amor, que é o laço da perfeição. Que a paz de Cristo reine no coração de vocês. Para essa paz vocês foram chamados, como membros de um mesmo corpo. Sejam também agradecidos (3,12-15).

Lembrando que as pessoas batizadas, homens e mulheres, de modo geral, eram adultos e, portanto, recebiam toda uma catequese, uma instrução, e faziam a profissão de fé, de modo consciente, e, consequentemente, recebiam o batismo como mudança de vida.

Paulo se serve de uma realidade material para transmitir uma realidade espiritual. Observe que o "homem novo ou mulher nova" deve vestir não só uma veste nova, mas são convidados: "vistam-se de sentimentos de compaixão, bondade, humildade, mansidão. E, acima de tudo, vistam-se com o amor, que é o laço da perfeição" (3,12.14). Tudo em vista da vivência em Cristo na comunidade.

Afinal de contas, como era o batismo?

> **Saiba mais...**
>
> ### O BATISMO
>
> A palavra em grego *(bapto/baptizo)* significa imergir, mergulhar, batizar.
>
> E foi assim que João Batista apareceu no deserto, pregando um batismo de conversão para o perdão dos pecados. Toda a região da Judeia e todos os moradores de Jerusalém iam ao encontro de João. Confessavam os seus pecados, e João os batizava no rio Jordão. E pregava: "Depois de mim, vai chegar alguém mais forte do que eu. E eu não sou digno sequer de me abaixar para desamarrar as suas sandálias. Eu batizei vocês com água, mas ele batizará vocês com o Espírito Santo" (Mc 1,4-5.7-8).
>
> Desde o início, ficou evidente que o batismo de João, no rio Jordão, era para a conversão, e o perdão dos pecados, em vista da preparação, para receber Jesus e o batismo com o Espírito Santo.

Paulo chegou a Éfeso e perguntou a um grupo de homens:

"Que batismo vocês receberam?" Eles responderam: "O batismo de João". Então Paulo explicou: "João batizava como sinal de arrependimento e pedia que o povo acreditasse naquele que devia vir depois dele, isto é, em Jesus". Ao ouvir isso, eles se fizeram batizar em nome do Senhor Jesus. Logo que Paulo lhes impôs as mãos, o Espírito Santo desceu sobre eles (At 19,3-6).

Nesses dias, Jesus chegou de Nazaré da Galileia, e foi batizado por João no rio Jordão. Logo que Jesus saiu da água, viu o céu se rasgando, e o Espírito, como pomba, desceu sobre ele. E do céu veio uma voz: "Tu és o meu Filho amado; em ti encontro o meu agrado" (Mc 1,9-11).

No batismo de Jesus, há a manifestação do Espírito em forma de pomba. E você se lembra da arca de Noé, quando houve o dilúvio (cf. Gn 8,8-12), e "a pomba voltou para Noé, trazendo no bico um ramo novo de oliveira" (Gn 8,11)? A pomba tem vários significados: a fecundidade e "a frequência da figura da pomba no simbolismo do Cântico dos Cânticos demonstra que essa ave era símbolo de amor".[8] Quando Maria, a mãe de Jesus, o levou ao Templo para ser consagrado e para fins de purificação, foram também para oferecer em sacrifício um par de rolas ou dois pombinhos, conforme ordena a Lei do Senhor (cf. Lc 2,22-24). Era a oferenda dos pobres (cf. Lv 5,7). Jesus mesmo vai dizer: "Sejam prudentes como as serpentes e simples como as pombas" (Mt 10,16). Finalmente essa pomba, como forma visível do Espírito (de Deus, Espírito Santo), "alguns estimam que ela evoca a nova criação que se efetua no batismo de Jesus",[9] em que a voz que vem do céu (Deus) diz: "Tu és o meu Filho amado; em ti encontro o meu agrado" (Mc 1,11).

Jesus é o Filho de Deus com a força do Espírito Santo. Ele não precisava ser batizado para fins de conversão ou perdão dos pecados, mas quis dar o exemplo da importância do batismo. Tanto é verdade que, depois que ressuscita, aparece aos seus discípulos, envia-os e diz:

---

[8] MACKENZIE, Jonh L. *Dicionário Bíblico*. Tradução de Álvaro Cunha *et al.* 4ª ed. São Paulo: Editora Paulus, 1984, p. 734. Dentre as várias citações: "Como você é bela, minha amada,/ como você é bela!.../ São pombas/ seus olhos escondidos sob o véu" (Ct 4,1).

[9] BÍBLIA TRADUÇÃO ECUMÊNICA (TEB). São Paulo: Loyola, 1994, p. 1860 (nota de rodapé "z").

Toda a autoridade foi dada a mim no céu e sobre a terra. Portanto, vão e façam com que todos os povos se tornem meus discípulos, batizando-os em nome do Pai, e do Filho, e do Espírito Santo, e ensinando-os a observar tudo o que ordenei a vocês. Eis que eu estarei com vocês todos os dias, até o fim do mundo (Mt 28,18-20).

Jesus diz:

"Quem acreditar e for batizado, será salvo" (Mc 16,16). "Eu garanto a você: ninguém pode entrar no Reino de Deus, se não nasce da água e do Espírito" (Jo 3,5).

Pedro diz:

"Arrependam-se, e cada um de vocês seja batizado em nome de Jesus Cristo, para o perdão dos pecados; depois vocês receberão do Pai o dom do Espírito Santo". Os que acolheram a palavra de Pedro receberam o batismo. E nesse dia uniram-se a eles cerca de três mil pessoas (At 2,38.41).

"Então o eunuco disse a Filipe: 'Aqui existe água. O que impede que eu seja batizado? [...] Eu acredito que Jesus Cristo é o Filho de Deus!' [...] Os dois desceram junto às águas, e Filipe batizou o eunuco" (cf. At 8,36-38).

"Em seguida Saulo (Paulo) se levantou e foi batizado" (At 9,18).

Na casa de Cornélio,

Os fiéis de origem judaica ficaram admirados de que o dom do Espírito Santo também fosse derramado sobre os pagãos. [...] Então Pedro falou: "Será que podemos negar a água do batismo a estas pessoas que receberam o Espírito Santo, da mesma forma que nós recebemos?" Então Pedro mandou que fossem batizados em nome de Jesus Cristo (At 10,45-48).

Paulo, em Filipos, converte Lídia e toda a sua família: "O Senhor abrira o seu coração para que aderisse às palavras de Paulo. Após ter sido batizada, assim como toda a sua família" (At 16,14-15). Também, nessa cidade, o carcereiro e todos de sua casa foram batizados (cf. At 16,33).

Conforme vimos acima, a cerimônia, em si, era muito simples e não tinha muito ritualismo, dependia da circunstância. Com frequência, havia o símbolo das vestes; o mergulho na piscina – nem sempre – poderia ser em qualquer lugar que tivesse água. O importante era que a pessoa envolvida tivesse sido evangelizada, professasse a fé em Jesus como o Senhor e tivesse um pouco de água para a cerimônia do batismo, isso era o essencial. Todavia, havia muita diversidade ao se preparar a evangelização. A conversão era fundamental. A profissão de fé e o modo de administrar ou fazer o batismo não seguiam padrão único, pois havia várias comunidades e, de acordo com a criatividade e a realidade, cada qual preparava da melhor maneira possível.

Na época de Santo Agostinho (354-430), bispo de Hipona, depois de toda uma preparação intensa, de uma longa catequese, de diversos ritos, e na noite da páscoa, vigília pascal, aqueles que tinham se preparado

se despem, as mulheres de um lado, os homens do outro, deixando suas vestes nos nichos. Todos entram completamente nus no seio maternal da Igreja, tal como haviam saído do seio de suas mães. Primeiro as crianças, depois os homens, em seguida as mulheres, até a piscina, para entrar na água corrente até a metade do corpo. A piscina era construída de modo a obrigar o catecúmeno a descer pelo lado oeste e sair pelo leste. O bispo fazia a cada um as três perguntas rituais: "Crês no Pai? Crês no Filho? Crês no Espírito Santo?" A resposta vem clara e decidida: "Sim, creio!" A cada resposta, o batizado recebe um jato de água, ou o próprio batizador derrama água sobre ele, dizendo: "Eu te batizo". Para os homens, o Bispo é assistido por clérigos e padrinhos; para as mulheres, por diaconisas ou mulheres de idade madura.[10]

Sobre o batismo de crianças, como existe hoje

na tradição católica, desde o século V é costume batizar crianças recém-nascidas. O Concílio de Cartago, em 418, afirmava que as crianças recém-nascidas deviam ser imediatamente batizadas. As crianças são batizadas na fé da Igreja, representada pelos pais, padrinhos e madrinhas. Para legitimar o batismo de crianças, a tradição da Igreja limita-se a lembrar a tradição que remonta às palavras de Jesus: "Eu garanto a você: ninguém pode entrar no Reino de Deus, se não nasce da água e do Espírito" (Jo 3,5).[11]

Finalmente, Paulo vai dizer:

De fato, vocês todos são filhos de Deus pela fé em Jesus Cristo, pois todos vocês, que foram batizados em Cristo, revestiram-se de Cristo. Não há mais diferença entre judeu e grego, entre escravo e homem livre, entre homem e mulher, pois todos vocês são um só em Jesus Cristo (Gl 3,26-28).

---

[10] HAMMAN, A. *Santo Agostinho e seu tempo*. Tradução de Álvaro Cunha. São Paulo: Edições Paulinas, 1989, p. 202.
[11] CENTRO BÍBLICO VERBO. *No caminho das comunidades*. São Paulo: Editora Paulus, 2001, vol. 2, p. 90.

10. AS CARTAS PASTORAIS

1. Quem escreveu as cartas pastorais?

As cartas pastorais são três: 1 e 2 Timóteo e Tito. Elas seguem um esquema diferente das outras cartas estudadas até agora, não são dirigidas a uma comunidade específica, mas a dirigentes.

O adjetivo "pastorais" foi usado por Paul Anton [...] em suas conferências de Halle, em 1726-1727. A escolha deste termo foi muito feliz porque essas cartas foram dirigidas a responsáveis por Igrejas e lhes lembram seus deveres enquanto "pastores" das comunidades confiadas aos seus cuidados.[1]

Essas cartas foram atribuídas a Paulo, mas, devido a estudos detalhados e aprofundados, levantaram-se dúvidas, se foram escritas por Paulo ou algum de seus discípulos, conti-

---

[1] Carrez, M.; Dornier, P.; Dumais, M.; Trimaille, M. *As cartas de Paulo, Tiago, Pedro e Judas.* "As epístolas pastorais". Tradução de Benôni Lemos. 2ª ed. São Paulo: Editora Paulus, 1987, p. 245.

nuando a mesma história: uns dizem que foi Paulo e colocam que foram escritas pouco antes da sua morte (ano 67); outros colocam que o estilo literário, os temas, como justificação, graça, fé, acima de tudo, o amor, a liberdade, a cruz, entre outros, tão importantes para Paulo, dão lugar a uma Igreja com cargos, funções, obrigações morais. Alguns termos como: "sã doutrina" (cf. 1Tm 1,10), "depósito da fé" (cf. 2Tm 1,12), "piedade" (cf. 1Tm 2,2), lembrando que "as pessoas piedosas são pessoas disciplinadas, cumpridoras das normas".[2]

A questão de impor as mãos (no sentido de ordenação, cf. 1Tm 4,14; 5,22) e outras levam estudiosos a dizer que não foi Paulo quem as escreveu, e sim algum de seus discípulos no final do século I.

Lendo as Cartas Pastorais, dá-se a impressão, tanto pelo seu estilo quanto pelas suas argumentações, e até mesmo em algumas convicções, de que Paulo está contra "Paulo" e que ele não é o autor delas. De modo resumido e sem muitos detalhes:

> Qual é então o meu salário? É que, pregando o Evangelho, eu o prego gratuitamente, sem usar dos direitos que a pregação do Evangelho me confere (1Cor 9,18).
>
> Os presbíteros que exercem bem a presidência são dignos de dupla remuneração (1Tm 5,17).

Paulo faz um apelo ao amor e à bondade de Filêmon em relação ao escravo Onésimo: "Agora você o terá, não mais

---

[2] CEBI. *Cartas Pastorais e Cartas Gerais*. Roteiros para reflexão XI. São Leopoldo-RS: Cebi. São Paulo: Editora Paulus, 2001, p. 14.

como escravo, mas muito mais do que escravo: você o terá como irmão querido; ele é querido para mim, e o será muito mais para você, seja como homem, seja como cristão" (Fm 16) – "Aqueles que se encontram sob o jugo da escravidão devem tratar seus patrões com todo o respeito, para que o nome de Deus e o ensinamento não sejam blasfemados" (1Tm 6,1).

Há certo machismo exagerado em relação às mulheres e suas lideranças. Se quiser, compare: 1Tm 2,9-15; 2Tm 3,6-7, e quando Paulo diz que a mulher com véu pode rezar ou profetizar (cf. 1Cor 11,5), bem como o elogio que faz a Febe e a outras mulheres líderes em Rm 16,1-15.

Paulo diz que vai indicar um caminho que ultrapassa a todos e fala sobre a grandeza e a força do amor, que é a razão de ser e existir de Jesus, dele próprio e de todos os cristãos (cf. 1Cor 13,1-13; Rm 13,8-10; Gl 5,14; etc.). E, nas pastorais, "o amor perde a centralidade, tornando-se uma virtude equiparada às outras (1Tm 4,12; 6,11)".[3]

Se foram escritas por Paulo ou algum de seus discípulos que atribuiu a ele a autoria, é uma discussão interminável. "No estudo atual da pesquisa, é muito difícil escolher, entre todas as hipóteses, uma que consiga a aprovação de todos. Na verdade, e repetindo o título da obra de S. de Lestapis, podemos dizer que existe 'o enigma das Pastorais'".[4]

---

[3] CEBI. *Cartas Pastorais e Cartas Gerais*. Roteiros para reflexão XI. São Leopoldo-RS: Cebi. São Paulo: Editora Paulus, 2001, p. 14.

[4] CARREZ, M.; DORNIER, P.; DUMAIS, M.; TRIMAILLE, M. *As cartas de Paulo, Tiago, Pedro e Judas*. "As epístolas pastorais". Tradução de Benôni Lemos. 2ª ed. São Paulo: Editora Paulus, 1987, p. 266.

11. PRIMEIRA CARTA A TIMÓTEO

1. Conhecendo Timóteo

"Paulo, apóstolo de Jesus Cristo por ordem de Deus nosso Salvador e de Jesus Cristo nossa esperança, a Timóteo, meu verdadeiro filho na fé: graça, misericórdia e paz da parte de Deus Pai e de Jesus Cristo nosso Senhor" (1,1-2).

Paulo considerava Timóteo como verdadeiro filho na fé. Ele era de Listra, filho de uma judia, Eunice (cf. 2Tm 1,5), que se tornara cristã, e de pai grego.

"Os irmãos de Listra e Icônio davam bom testemunho de Timóteo. Paulo quis então que Timóteo partisse com ele" (At 16,2-3). Isso durante a segunda viagem missionária – pode ser que Paulo o conhecera na primeira viagem missionária (cf. At 14,8-20), pois Lucas diz: "Havia em Listra um discípulo chamado Timóteo" (At 16,1). Discípulo? Mas quando? Da primeira viagem? Começa, então, uma grande amizade de fé e amor a Jesus Cristo, em diversas missões e trabalhos, ao ponto de ele ser chamado por Paulo de "verdadeiro filho na fé".

A importância de Timóteo pode ser vista nas cartas escritas por Paulo:

– a primeira: "Paulo, Silvano e Timóteo à igreja dos tessalonicenses" (1Ts 1,1).

– e em muitas outras: 2Ts 1,1; 2Cor 1,1; Fl 1,1; Cl 1,1; Fm 1; Rm 16,21.

E também em muitas outras missões importantes. Para os coríntios, Paulo diz: "Foi para isso que lhes enviei Timóteo, meu filho amado e fiel no Senhor; ele fará com que vocês se lembrem de minhas normas de vida em Jesus Cristo, aquelas mesmas que eu ensino por toda parte, em todas as igrejas" (1Cor 4,17). Para os filipenses, tece um dos maiores elogios a Timóteo:

> Espero no Senhor Jesus enviar-lhes logo Timóteo, para que também eu me anime com as notícias de vocês. De fato, ele é o único que sente como eu, e se preocupa sinceramente com os problemas de vocês. Porque todos os outros buscam os próprios interesses, e não os de Jesus Cristo. Vocês mesmos sabem como Timóteo deu provas do seu valor: como filho junto do pai, ele se colocou ao meu lado a serviço do Evangelho. Espero, portanto, enviá-lo a vocês logo que eu veja claro como vai ficar a minha situação (Fl 2,19-23).

Paulo, possivelmente, está preso. Existem problemas em Filipos e, nesse caso, mesmo Timóteo, sendo um "filho da fé" que o ajuda na prisão, nos escritos das cartas, ainda recebe a missão de ir a Filipos para resolver os problemas em nome de Paulo, pois é o único que sente como ele, que se preocupa com os problemas deles, que não busca os próprios interesses, mas os de Jesus Cristo. Deu (e dará) provas do seu valor e, "como filho junto do pai", está totalmente a serviço do Evangelho.

Conforme vimos, na terceira viagem missionária, Paulo se estabelece por (quase) três anos em Éfeso, pois era um local ideal para escrever cartas, acompanhar e visitar as comunidades, além de formar novas. Paulo diz: "Ao partir para a Macedônia, recomendei que você ficasse em Éfeso, a fim de impedir que alguns continuassem ensinando doutrinas diferentes" (1,3). Parece que Timóteo tinha um problema de saúde: "Não continue a beber somente água; tome um pouco de vinho, por causa do estômago e das frequentes fraquezas que você tem" (5,23).

2. Os ministérios na Igreja (3,1-13; 5,17-22)

Quando falamos em ministérios na Igreja, na época de Paulo, referimo-nos aos diversos serviços prestados em benefício da comunidade. A palavra grega é *diakonos, diakonia*, que significa servo, serviço, ministério; em latim, *ministerium*, que significa serviço, mas também cargo, função e, no nosso modo de pensar hoje, autoridade, poder, cargo importante. Esqueçamos, portanto, cargo, função, poder, como muitos entendem, e lembremos serviço, amor, doação, gratuidade. Vamos voltar ao tempo e entender o que Paulo, Jesus e a Igreja, em sua origem, entendiam por serviço e ministério.

Para isso, vamos tomar alguns textos de Paulo:

> Cada um recebe o dom de manifestar o Espírito para a utilidade de todos. A um, o Espírito dá a palavra de sabedoria; a outro, a palavra de ciência segundo o mesmo Espírito; a outro, a fé, o dom das curas, o poder de fazer milagres, a profecia, o discernimento, o dom de falar em línguas e de interpretá-las. Mas é o mesmo Espírito quem realiza tudo isso, distribuindo os seus dons a cada um, conforme ele quer (cf. 1Cor 12,7-11).

Existem dons diferentes, mas o Espírito é um só, e tudo deve ser feito para servir a comunidade, e não para engrandecimento. Paulo vai dizer que, num só corpo, existem muitos membros e cada um tem a sua função, embora, sendo muitos, formemos um só corpo em Cristo.

> Mas temos dons diferentes, conforme a graça concedida a cada um de nós. Quem tem o dom da profecia, deve exercê-lo de acordo com a fé; se tem o dom do serviço, que o exerça servindo; se do ensino, que ensine; se é de aconselhar, aconselhe; se é de distribuir donativos, faça-o com simplicidade; se é de presidir à comunidade, faça-o com zelo; se é de exercer a misericórdia, faça-o com alegria (Rm 12,6-8).

Aqui, há apenas alguns dons, mas existiam muitos outros na Igreja. Paulo dá um destaque especial ao dom da profecia. De fato, não é fácil anunciar a Palavra de Deus, tendo por base a fé, e denunciar as injustiças, isso pode levar à morte. Jesus, Estêvão, Paulo, Pedro e muitos outros e outras morreram em nome da fé.

Todos os dons são importantes. Porém, devem ser exercidos em vista do bem da comunidade. Paulo também diz que:

> Cada um de nós, entretanto, recebeu a graça na medida que Cristo a concedeu. Foi ele quem estabeleceu alguns como apóstolos, outros como profetas, outros como evangelistas, e outros como pastores e mestres. Assim, ele preparou os cristãos para o trabalho do ministério que constrói o Corpo de Cristo (Ef 4,7.11-12).

Não há hierarquia. Todos, isso mesmo, todos os dons são importantes e devem ser colocados a serviço de todos para o bem de todos.

"As Igrejas que Paulo fundou eram comunidades 'carismáticas', formadas por indivíduos que tinham recebido, todos eles, dons de ministério a ser exercidos para o bem comum (1Cor 12,7.11)".[1]

---

[1] HAWTHORNE, Gerald F.; MARTIN, Ralph P.; REID, Daniel G. (Org.). *Dicionário de Paulo e suas cartas*. Tradução de Bárbara Theoto Lambert. São Paulo: Editora Vida Nova, Paulus e Loyola, 2008. Verbete Ministério, de C. G. Kruse, p. 818.

Chegamos ao texto de Timóteo que diz:

> É preciso, porém, que o epíscopo seja irrepreensível, esposo de uma única mulher, ajuizado, equilibrado, educado, hospitaleiro, capaz de ensinar, não dado à bebida, nem briguento, mas indulgente, pacífico e sem interesse por dinheiro. Ele deve ser homem que saiba dirigir bem a própria casa, e cujos filhos lhe obedeçam e o respeitem. Pois se alguém não sabe dirigir bem a própria casa, como poderá dirigir bem a igreja de Deus? (3,2-5).

Quem eram esses epíscopos? Eram os dirigentes das comunidades, que deveriam ensinar e governar a Igreja de Deus, responsáveis pela sã doutrina. No grego clássico, eram os vigilantes do templo, fiscal e administradores municipais. Ainda, naquela época, é um termo muito semelhante a anciãos (presbíteros), que presidiam a Igreja (cf. 1Tm 5,17; Tt 1,5-9). Mas vimos que eles devem ter muitas virtudes, ser um bom administrador de sua casa e da Igreja. Muitos entendem que são os bispos. Todavia, "a instituição do episcopado monárquico – cada igreja governada por um único epíscopo – não se encontra no Novo Testamento".[2] Faz parte da história da Igreja e teve seu desenvolvimento posterior. Entretanto, começa já uma certa organização mais intensa da Igreja, que tinha crescido muito e que fazia parte

---

[2] MACKENZIE, Jonh L. *Dicionário Bíblico*. Tradução de Álvaro Cunha *et al.* 4ª ed. São Paulo: Editora Paulus, 1984. Verbete Epíscopo, p. 284.

do Império Romano, época em que os apóstolos já tinham morrido, e surgem novos desafios e dificuldades. Mudar e adaptar a realidade da sociedade da época, ao longo da história e hoje, é-nos necessário. Era e é uma questão vital e de existência. O importante é manter firme no ideal de Jesus Cristo e, acima de tudo, manter a fidelidade no amor, na fé e no serviço.

Na sequência do texto, aparecem os diáconos e as diaconisas:

> Os diáconos igualmente devem ser dignos de respeito, homens de palavra, não inclinados à bebida, nem ávidos de lucros vergonhosos. Conservem o mistério da fé com a consciência limpa. Também as mulheres devem ser dignas de respeito, não maldizentes, ajuizadas, fiéis em todas as coisas. Que os diáconos sejam esposos de uma única mulher, dirigindo bem seus filhos e sua própria casa (3,8-9.11-12).

Inicialmente, os diáconos (conforme foram reconhecidos pela Igreja, nos Atos apenas exercem um ministério) estavam ligados com o servir às mesas. Todavia, deviam ser homens de boa fama, repletos do Espírito e de sabedoria (cf. At 6,1-6). Mas vimos depois Estêvão anunciar o Evangelho (cf. At 6,8ss.) e Filipe anunciar a Palavra de Deus e batizar (cf. At 8,26-40).

No entanto, vimos, nesse texto, as virtudes dos diáconos e sua missão de servo, no sentido de servir, tanto às mesas, como no anúncio da Palavra de Deus. O mesmo pode ser dito em relação às diaconisas, embora fique obscuro, em 3,11, se essas mulheres são diaconisas ou esposas dos diáconos. Mas independentemente disso, fica muito claro que Paulo tinha grande apreço pelas diaconisas: "Recomendo a vocês nossa irmã Febe, diaconisa da igreja de Cencreia. Recebam-na no Senhor, como convém a cristãos. Deem a ela toda a ajuda que precisar, pois ela tem ajudado muita gente e a mim também" (Rm 16,1-2). Tudo indica que Evódia e Síntique (cf. Fl 4,2) também fossem diaconisas. O importante é assumir, com fé, a responsabilidade de acordo com o dom recebido e fazer tudo por amor para servir a comunidade.

Em relação aos anciãos, presbíteros, há:

> Os presbíteros que exercem bem a presidência são dignos de dupla remuneração, sobretudo os que trabalham no ministério da palavra e da instrução. Não aceite denúncia contra um presbítero, a não ser sob depoimento de duas ou três testemunhas. Não tenha pressa de impor as mãos em alguém, para não ser cúmplice dos pecados de outrem. Conserve-se puro (5,17.19.22).

Ainda em relação aos presbíteros, é dito algo muito parecido com os epíscopos: "O candidato deve ser irrepreensível, esposo de uma única mulher, [...] deve ser hospitaleiro, bondoso, ponderado, justo, piedoso, disciplinado, e de tal modo fiel à fé verdadeira" (Tt 1,6.8-9).

A palavra ancião, em grego, é *presbyteros*. A eles, compete exercer bem a presidência da assembleia, da pregação, do ensino, do anúncio da Palavra de Deus. Em relação à imposição das mãos, "conforme alguns, tratar-se-ia aqui do ato que assinala a volta à graça de um pecador penitente. Mas, em outros lugares das Pastorais, a imposição das mãos é vinculada à consagração de alguém para um ministério na igreja (cf. 4,14; 2Tm 1,6)".[3] Também Timóteo é exortado: "Não descuide o dom da graça que há em você e que lhe foi dado através da profecia, juntamente com a imposição das mãos do grupo dos presbíteros (anciãos)" (4,14). Esse gesto de imposição das mãos acontece até hoje nas diversas ordenações: bispo, presbíteros (padres) e diáconos, como gesto de consagração para exercer o ministério na igreja. Mas temos de tomar muito cuidado, pois, nas cartas pastorais, esses ministérios – epíscopos (bispos), presbíteros (padres) e diáconos – ainda não tinham hierarquia ou poder, era um ministério em vista de um serviço para a comunidade, e o mesmo deve acontecer ainda hoje.

A ênfase de Paulo em modelos em vez de posições já indica que a pessoa é importante para ele, não o cargo, e que o governo da Igreja tem mais a ver com um

---

[3] BÍBLIA TRADUÇÃO ECUMÊNICA (TEB). São Paulo: Loyola, 1994, p. 2327 (nota de rodapé "j").

modo de vida que com um posto designado. [...] Isto significa que as funções que as pessoas exercem são decisivas, não as posições que ocupam.[4]

Resumindo: tanto naquela época, como hoje, seja qual for o ministério, o importante é o amor e o serviço.

Finalizando esse tema, podemos dizer que Jesus mesmo mostra que a autoridade entre seus seguidores é para o serviço. Quando João e Tiago pensam no poder e tudo indica que os outros dez discípulos também, Jesus diz para eles e hoje para todos nós:

> Vocês sabem: aqueles que se dizem governadores das nações têm poder sobre elas, e os seus dirigentes têm autoridade sobre elas. Mas, entre vocês não deverá ser assim: quem de vocês quiser ser grande, deve tornar-se o servidor de vocês, e quem de vocês quiser ser o primeiro, deverá tornar-se o servo de todos. Porque o Filho do Homem não veio para ser servido. Ele veio para servir e para dar a sua vida como resgate em favor de muitos (Mc 10,42-45).

A exemplo de Jesus, também nós, seja qual for o nosso ministério, somos convidados a amar e servir, como ele fez,

---

[4] HAWTHORNE, Gerald F.; MARTIN, Ralph P.; REID, Daniel G. (Org.). *Dicionário de Paulo e suas cartas*. Tradução de Bárbara Theoto Lambert. São Paulo: Editora Vida Nova, Paulus e Loyola, 2008. Verbete ordem e governo na igreja, de R. Banks, p. 904 e 906.

como Paulo e muitos outros e outras também fizeram. A razão de ser dos ministérios na Igreja está *no serviço e não no poder.*

> **Saiba mais...**
>
> **O CELIBATO**
>
> Um último esclarecimento se faz necessário. Talvez seja novidade para muitos de tanto os epíscopos (bispos), como os presbíteros (padres) e diáconos serem descritos como esposo de uma única mulher, e que seus filhos devem ter fé e não ser acusados de maus costumes, nem de desobediência, pois, se alguém não sabe dirigir bem a própria casa, como poderá dirigir bem a igreja de Deus? (cf. Tt 1,6; 1Tm 3,2-5).
>
> Então, os bispos, os padres e os diáconos eram casados? E o celibato? Inicialmente, os bispos, padres e diáconos, conforme vimos, eram casados (nem todos, havia também pessoas solteiras e celibatárias) e ainda não existia a questão obrigatória do celibato. Pedro, que a Igreja afirma ser o primeiro Papa, também era casado: "Jesus foi para a casa de Pedro, e viu a sogra de Pedro deitada, com febre. Então Jesus tocou a mão dela, e a febre a deixou"

(Mt 8,14-15). O importante era ter virtudes dignas de um ministro de Deus.

Mas a questão do celibato eclesiástico tem suas raízes no próprio Jesus Cristo que, ao que tudo indica, viveu essa condição e falou sobre a grandeza do casamento e daqueles que não se casam (fazem-se eunucos) por causa do Reino dos Céus (cf. Mt 19,1-12). Há outros textos que podem ter esse sentido.

Paulo exorta os coríntios: "Eu gostaria que todos os homens fossem como eu. Mas cada um recebe de Deus o seu dom particular; um tem este dom, e outro tem aquele. Aos solteiros e às viúvas, digo que seria melhor que ficassem como eu" (1Cor 7,7-8). Paulo tem, em vista, o anúncio de Jesus Cristo: "Eu gostaria que vocês estivessem livres de preocupações. Quem não tem esposa, cuida das coisas do Senhor e do modo de agradar ao Senhor" (1Cor 7,32). Não vamos aprofundar esse assunto, pois não é o nosso objetivo. Apenas limitar a um pequeno resumo.

O celibato foi instituído bem mais tarde, ao longo da história da igreja:[5]

---

[5] Para esse pequeno resumo do celibato, servimos do artigo "O sacerdote e o casamento", in COMBY, Jean. *Para ler a história da Igreja I – das origens ao século XV*. Tradução de Maria Stela Gonçalves. São Paulo: Editora Loyola, 1993, p. 139.

Nos três primeiros séculos, nenhuma lei, nem no Ocidente nem no Oriente, proíbe a ordenação de homens casados, tampouco exige que os sacerdotes casados se abstenham das relações conjugais. Da mesma maneira, não parece ter havido nenhuma objeção quanto ao fato de que um sacerdote, celibatário no momento da ordenação, se casasse em seguida.

No século IV, tanto no Oriente como no Ocidente, proíbe-se o casamento após a ordenação. Aquele que é casado permanece nessa condição após a ordenação.

No século V, no Oriente, bispos, sacerdotes e diáconos podem sempre fazer uso do casamento. No Ocidente, o bispo de Roma exigiu que todas as Igrejas impusessem a abstinência conjugal aos bispos, sacerdotes e diáconos.

No século VI (e VII), no Oriente, a Igreja fixa definitivamente a sua disciplina relativa aos clérigos e ao casamento (692). Trata-se da mesma em vigor nos dias de hoje. Os bispos devem ser celibatários e os padres e diáconos que estiverem casados no momento da ordenação continuam casados (todavia, proíbe-se o casamento após a ordenação). No Ocidente, a abstinência conjugal dos clérigos é reforçada.

Somente no segundo Concílio de Latrão, em 1139, no Ocidente, decide-se que o casamento dos sacerdotes é inválido. O sacerdócio é, portanto, praticamente limitado aos celibatários e aos viúvos e se tem a lei do celibato.

> Milhares de homens e mulheres renunciam a uma vida conjugal para viverem a vocação religiosa ou o sacerdócio ordenado de uma maneira livre e de entrega da própria vida por amor a Jesus. O celibato só pode ser entendido pelo coração como uma opção de vida e amor, e "por causa do Reino do Céu. Quem puder entender, entenda" (Mt 19,12).

3. A RIQUEZA E A PARTILHA (6,17-19)

Uma questão muito debatida, desde o início da Igreja e até hoje, é a riqueza em que os cristãos são chamados a repartir e a partilhar. Isso é evidente nas primeiras comunidades cristãs: "Todos os que abraçaram a fé eram unidos e colocavam em comum todas as coisas; vendiam suas propriedades e seus bens, e repartiam o dinheiro entre todos, conforme a necessidade de cada um" (At 2,44-45). Mas será que era assim mesmo? Lucas coloca um retrato ideal de "como" deveria ser a comunidade cristã, o que quer dizer que havia problemas na partilha das riquezas e ele mesmo vai citar o caso de Ananias, que vendeu uma propriedade e "reteve uma parte do dinheiro para si e entregou a outra parte, colocando-a aos pés dos apóstolos" (At 5,2). Claro que existiam problemas na questão de ricos e pobres nas primeiras comunidades. Isso fica ainda mais evidente na época das cartas pastorais.

Admoeste os ricos deste mundo, para que não sejam orgulhosos e não coloquem sua esperança na incerteza das riquezas, mas em Deus, que nos dá tudo com abundância para que nos alegremos. Que eles façam o bem, se enriqueçam de boas obras, sejam prontos a distribuir, capazes de partilhar. Desse modo, estão acumulando para si mesmos um belo tesouro para o futuro, a fim de obterem a verdadeira vida (6,17-19).

Aos ricos, o apelo é para fazer o bem, para não se fechar em suas riquezas, enriquecer-se de boas obras, partilhar e lutar para que a justiça prevaleça. Foi, é e será sempre um desafio desapegar-se dos bens. Jesus mesmo disse: "Ninguém pode servir a dois senhores. Porque ou odiará a um e amará o outro, ou será fiel a um e desprezará o outro. Vocês não podem servir a Deus e às riquezas" (Mt 6,24). Quem é o senhor da minha vida: Deus ou as riquezas?

12. SEGUNDA CARTA A TIMÓTEO

1. "AO AMADO FILHO TIMÓTEO"

Podemos dizer que a segunda carta a Timóteo tem temas semelhantes com a primeira. Todavia, quem a escreveu revela um Paulo em sua intimidade e uma amizade profunda para com o seu "amado filho Timóteo" (cf. 1,2). Paulo lembra das lágrimas que ele (Timóteo) derramou (cf. 1,4); alerta-o: "Quanto a você, permaneça firme naquilo que aprendeu e aceitou como certo; você sabe de quem o aprendeu" (3,14).

Rogo a você diante de Deus e de Jesus Cristo (4,1).
Quanto a mim, meu sangue está para ser derramado em libação (4,6).
Procure vir logo ao meu encontro (4,9).
Quando você vier, traga-me o manto que deixei em Trôade, na casa de Carpo (4,13).
Na minha primeira defesa no tribunal, ninguém ficou ao meu lado; todos me abandonaram (4,16).

E faz a ele uma exortação íntima:

> Por esse motivo, eu o convido a reavivar o dom de Deus que está em você pela imposição de minhas mãos. De fato, Deus não nos deu um espírito de medo, mas um espírito de força, de amor e de sabedoria. Não se envergonhe, portanto, de dar testemunho de nosso Senhor, nem de mim, seu prisioneiro; pelo contrário, participe do meu sofrimento pelo Evangelho, confiando no poder de Deus (1,6-8).

2. AS SAGRADAS ESCRITURAS (3,14–4,2)

Em diversas cartas escritas por Paulo, vamos encontrar referências às Escrituras:

> Cristo não procurou agradar a si mesmo; ao contrário, como diz a Escritura: "Os insultos daqueles que te insultam caíram sobre mim". Ora, tudo isso que foi escrito antes de nós foi escrito para nossa instrução, para que, em virtude da perseverança e consolação que as Escrituras nos dão, conservemos a esperança (Rm 15,3-4).
>
> Por primeiro, eu lhes transmiti aquilo que eu mesmo recebi, isto é: Cristo morreu por nossos pecados, conforme as Escrituras; ele foi sepultado, ressuscitou ao terceiro dia, conforme as Escrituras (1Cor 15,3-4).

E ainda em muitas outras, mas o que chama a atenção é: "Sim, até hoje, quando eles leem o Antigo Testamento, esse mesmo véu permanece; não é retirado, porque é em Cristo que ele desaparece" (2Cor 3,14). Paulo foi o primeiro a utilizar a palavra Antigo Testamento (ou Aliança), referindo-se às Escrituras e Bíblia dos judeus, conforme chamamos hoje de Antigo Testamento. A partir de Jesus Cristo e dos escritos dos evangelhos, Atos dos Apóstolos, cartas de Paulo, cartas gerais e Apocalipse, chamamos de Novo Testamento (ou Aliança).

Quanto a você, permaneça firme naquilo que aprendeu e aceitou como certo; você sabe de quem o aprendeu. Desde a infância você conhece as Sagradas Escrituras; elas têm o poder de lhe comunicar a sabedoria que conduz à salvação pela fé em Jesus Cristo. Toda Escritura é inspirada por Deus e é útil para ensinar, para refutar, para corrigir, para educar na justiça, a fim de que o homem de Deus seja perfeito, preparado para toda boa obra.

Rogo a você diante de Deus e de Jesus Cristo, que há de vir para julgar os vivos e os mortos, pela sua manifestação e por seu Reino: proclame a Palavra, insista no tempo oportuno e inoportuno, advertindo, reprovando e aconselhando com toda paciência e doutrina (3,14–4,2).

O texto é muito claro e mostra toda a importância das Sagradas Escrituras ou da Bíblia. Ela é inspirada por Deus e foi escrita por homens e mulheres que viviam em um outro mundo diferente do nosso, numa época bem distante, e também com um modo diferente de pensar e entender. A Bíblia começou a ser escrita por volta do ano 1250 a.C. e foi até mais ou menos 130 d.C., quase 1.400 anos. Um dos perigos é ler a Bíblia de maneira fundamentalista, achar que, do jeito que está escrito ali, não pode mudar sequer uma vírgula.

Jesus disse: "Se o olho direito leva você a pecar, arranque-o e jogue-o fora!" (Mt 5,29); e também: "E se o seu olho é ocasião de escândalo para você, arranque-o e jogue-o para longe de você" (Mt 18,9). São citações parecidas, mas a primeira está no sentido de adultério (cf. Mt 5,27-32). Tudo pode começar com o ver (olhar) que leva ao desejo, e se a pessoa consentir, pode levá-la a pecar, cair, ter uma queda e cometer adultério. A segunda citação está no sentido das instruções para a comunidade e o cuidado para com os mais pequenos e fracos (cf. Mt 18). Está no sentido de escândalo, isto é, pedra de tropeço, armadilha, provocar quedas, cair, pecar. São contextos diferentes. Além do mais, pegar só um versículo ou uma passagem, ou uma história fora do contexto, é complicado. Fizemos isso de propósito para dizer que, por trás de um texto, existe um contexto. Assim, o importante é ler toda a passagem Mt 5,27-32, pois vai mostrar o contexto e, com isso, observar que se alguém fala de "não cometer adultério", mas olha para uma mulher e deseja possuí-la, já cometeu adultério com ela no coração. Além do olho, que leva a pecar, fala o mesmo da mão. O ideal seria ler todo o Sermão da Montanha (Mt 5–7) para entender ainda melhor esse texto.

Em relação ao segundo texto (Mt 18,9), o ideal também é ler todo o capítulo 18 de Mateus ou pelo menos 18,6-9. Daí você vai perceber que se trata da questão do escândalo, no sentido de pedra de tropeço, que pode provocar a nossa queda ou de outros. Vai perceber também que fala sobre a mão e o pé, que podem ser ocasião de escândalo.

Curioso observar que, mesmo aqueles que são fanáticos e seguem a "Bíblia a risco", chamados de fundamentalistas, mesmo pecando (pois todos os seres humanos pecam), não se mutilam, ou seja, mesmo seguindo de modo literal o que está escrito, não cortaram nem a mão, nem o pé e muito menos arrancaram o olho, conforme diz no texto. Então, "o modo de ver (olho), de agir (mão) e de caminhar (pé) deve ser inteiramente mudado, a fim de não prejudicar o irmão".[1] Essa é a mensagem e o ensinamento que têm de ser além do sentido literal.

Outro exemplo, quando Jesus diz: "Se alguém lhe dá um tapa na face direita, ofereça também a esquerda!" (Mt 5,39). Isso não quer dizer que a pessoa tem de virar o rosto e deixar esse alguém lhe dar um tapa na sua face esquerda também. Lendo o texto todo (Mt 5,38-42) ou todo o sermão da montanha, vai dar o contexto. Nesse caso, vai falar da lei do talião:[2] "Vocês ouviram o que

---

[1] BÍBLIA. Edição pastoral. 8ª ed. São Paulo: Edições Paulinas, 1993. p. 1263 (nota de rodapé).
[2] Se você quiser saber mais sobre a Lei do Talião, leia o meu livro: in ALBERTIN, Francisco. *Explicando o Antigo Testamento*. 2ª ed. Aparecida: Editora Santuário, 2007, p. 37.

foi dito: 'Olho por olho e dente por dente!' Eu, porém, lhes digo: não se vinguem de quem fez o mal a vocês. Pelo contrário: se alguém lhe dá um tapa na face direita, ofereça também a esquerda!..." Enquanto a lei do talião permitia que você fizesse ao outro aquilo que ele fez com você, revidando "olho por olho e dente por dente", Jesus vai além e pede para romper com a cadeia da violência, e não praticar o mal. Se alguém lhe oferece a face do mal, ofereça você a ele a face do bem. Desarme seu inimigo, que utiliza a violência e o ódio, e mostre a ele o outro lado: a paz e o amor.

Dizem que, certa vez, alguém, num grupo, disse:

– Meus irmãos, eu sigo à risca o que diz a Palavra de Deus. Para isso, eu vou abrir a Bíblia e vou fazer o que ela me pedir.

Abriu-a na passagem que diz: "Judas jogou as moedas no santuário, saiu, e foi enforcar-se" (Mt 27,5). Assustou-se e disse:

– Meus irmãos, vou abri-la novamente, deve ter alguma coisa errada.

E saiu a passagem: "Vá e faça a mesma coisa" (Lc 10,37).

A Palavra de Deus é vida em nossa vida, inspirada por Deus e escrita por homens e mulheres. Faz-se necessário entender o texto e o contexto e o que, de fato, ela nos quer dizer. Para isso, procure livros bons que foram escritos na tentativa de explicar a Bíblia. As notas de rodapé, que aparecem em algumas bíblias, também ajudam muito. Jesus disse: "Se permanecerdes na minha palavra, sereis verdadeiramente meus discípulos e conhecereis a verdade, e a verdade vos libertará" (Jo 8,31-32).

A exemplo de Timóteo, você permanece firme nas Sagradas Escrituras?

3. "COMBATI O BOM COMBATE, TERMINEI A CORRIDA, CONSERVEI A FÉ" (4,6-8)

A exemplo de Jesus que, em suas parábolas, se servia de imagens, figuras ou acontecimentos para descrever o "Reino de Deus", o autor, baseado em Paulo, também se serve de algumas imagens da época e aponta para a meta que é Jesus Cristo. Se você ler essa segunda carta, verá que a mesma imagem se refere a Timóteo:

> Participe dos sofrimentos como bom soldado de Jesus Cristo. Ao se alistar no exército, ninguém se deixará envolver pelas questões da vida civil, se quiser satisfazer a quem o alistou no regimento. Do mesmo modo, um atleta não receberá a coroa se não tiver lutado conforme as regras. O agricultor que trabalha deve ser o primeiro a participar dos frutos. Procure compreender o que estou tentando dizer, e o Senhor certamente lhe dará inteligência em todas as coisas (2,3-7).

Agora, este texto parece ser o da despedida de Paulo:

> Quanto a mim, meu sangue está para ser derramado em libação, e chegou o tempo da minha partida. Combati o bom combate, terminei a minha corrida, conservei a fé. Agora só me resta a coroa da justiça que o Senhor, justo Juiz, me entregará naquele Dia; e não somente para mim, mas para todos os que tiverem esperado com amor a sua manifestação (4,6-8).

"Combati o bom combate." A vida de um soldado tem de ter muita disciplina, luta e esforço. É sabido que, em um combate ou em uma guerra, pode-se perder a própria vida e morrer.

"Terminei a minha corrida." Paulo mesmo disse:

> Vocês não sabem que no estádio todos os atletas correm, mas só um ganha o prêmio? Portanto, corram, para conseguir o prêmio. Os atletas se abstêm de tudo; eles, para ganhar uma coroa perecível; e nós, para ganharmos uma coroa imperecível (1Cor 9,24-25).

Referindo-se a Jesus, a seus sofrimentos, sua morte e ressurreição, diz:

Não que eu já tenha conquistado o prêmio ou que já tenha chegado à perfeição; apenas continuo correndo para conquistá-lo, porque eu também fui conquistado por Jesus Cristo. Irmãos, não acho que eu já tenha alcançado o prêmio, mas uma coisa eu faço: esqueço-me do que fica para trás e avanço para o que está na frente. Lanço-me em direção à meta, em vista do prêmio do alto que Deus nos chama a receber em Jesus Cristo (Fl 3,12-14).

Paulo fala da coroa da justiça que o Senhor, o justo Juiz, lhe entregará naquele Dia, no julgamento divino, mas não somente a ele, a Timóteo, mas a todos os que tiverem esperado com amor, com fé, com justiça a sua manifestação. Todos os que tiverem conservado a fé em Jesus Cristo.

Mas todo esse texto tem um alicerce e este é: "Quanto a mim, meu sangue está para ser derramado em libação, e chegou o tempo da minha partida" (4,6). Ele sabe que vai ser julgado no tribunal dos homens e sabe que não tem a mínima chance de viver. O Imperador Nero era implacável e Paulo sabia que o seu sangue seria derramado em libação. O que é libação?

> **Saiba mais...**
>
> ## O MARTÍRIO DOS CRISTÃOS
>
> O livro dos Atos dos Apóstolos narra a morte de Estêvão: "Atiravam pedras em Estêvão, que repetia esta invocação: 'Senhor Jesus, recebe o meu espírito'. Depois dobrou os joelhos e gritou forte: 'Senhor, não os condenes por este pecado'. E, ao dizer isso, adormeceu" (At 7,59-60). Se você ler a narrativa da morte de Jesus, especificamente Lc 23,34, em que ele diz: "Pai, perdoa-lhes! Eles não sabem o que estão fazendo!", e Lc 23,46: "Pai, em tuas mãos entrego o meu espírito", você vai perceber muita semelhança com a morte de Estêvão, considerado o primeiro mártir cristão por ter derramado seu sangue, sendo testemunha de fé em Jesus Cristo.
>
> Pela história, sabemos que ser cristão, indo contra a religião "oficial" do Império Romano, era um crime. Naquela época, ser cristão e testemunhar Jesus Cristo, que morreu crucificado por ter anunciado o "Reino de Deus" e denunciado o "Reino do poder", era um risco constante de morte. Naquele tempo, também o rei Herodes "mandou matar à espada Tiago, irmão de João" (At 12,2). Começa, então, a perseguição contra os cristãos em Roma, e Paulo sabe que o seu sangue vai ser derramado em

libação – a libação era um pouco de vinho, água ou óleo derramados sobre as vítimas nos sacrifícios judaicos (cf. Êx 29,40; Nm 28,7). A vítima é ele mesmo quem vai derramar o seu sangue.

Tudo indica que Paulo foi decapitado na época do Imperador Nero, por volta do ano 67.

A tradição conserva a história de que foi condenado a morrer pela espada, fora dos muros da cidade de Roma, num lugar chamado "Tre Fontane". Diz a tradição: cortada pela espada, a cabeça de Paulo rolou, pulou três vezes e parou. No lugar onde pulou apareceram três fontes. *Tre Fontane!*[3]

Estevão e Tiago foram martirizados. Diz a tradição que Pedro foi crucificado de cabeça para baixo; Paulo, decapitado, e muitos cristãos e cristãs derramaram seu sangue em defesa da fé em Jesus Cristo que já havia dito: "Se alguém quer me seguir, renuncie a si mesmo, tome a sua cruz, e me siga. Pois, quem quiser salvar a sua vida, vai perdê-la; mas, quem perde a sua vida por causa de mim, vai encontrá-la" (Mt 16,24-25).

---

[3] MESTERS, Carlos. *Paulo Apóstolo – um trabalhador que anuncia o Evangelho*. 10ª ed. São Paulo: Editora Paulus, 2008, p. 138.

> No início da Igreja, principalmente a partir do Imperador Domiciano (81-96), muitos cristãos foram condenados à morte: crucificação para os escravos e subversivos, decapitação, devorados pelas feras no circo e de outras maneiras. "As cristãs e os cristãos estavam convictos de que no martírio a identificação com Jesus era plena. Isso animava e confortava as comunidades que estavam sendo perseguidas."[4]
>
> Por outro lado, podemos dizer que:
>
> as primeiras comunidades cristãs tiveram de enfrentar hostilidade do Império Romano, durante 300 anos. É o período que a história guardou como o período da "Igreja dos mártires", em que ser testemunha de Jesus Cristo significava risco de morte. Muitos selaram com seu sangue o testemunho de fidelidade.[5]
>
> Morrer, ser testemunha de Jesus Cristo, testemunhar a fé estão, de certa maneira, relacionados. No Apocalipse, há: "Reparei que a mulher estava embriagada com o sangue dos santos e com o sangue das testemunhas de Jesus" (Ap 17,6). Mulher prosti-

---

[4] CENTRO BÍBLICO VERBO. *No caminho das comunidades*. São Paulo: Editora Paulus, 2001, vol. 2, p. 70.
[5] CEBI. *Cartas Pastorais e Cartas Gerais*. Roteiros para reflexão XI. São Leopoldo-RS: Cebi. São Paulo: Editora Paulus, 2001, p. 33.

tuta refere-se como sendo a Babilônia, a capital das idolatrias e de outros vícios. Todavia, sabemos que o autor está falando de Roma e fala do sangue das testemunhas. Afinal, o que tem a ver testemunha com mártir? Tem muito a ver, isso porque "o substantivo *Martyria* significa fazer declarações como testemunha *(martys)*".[6] "Testemunha ou testemunho" tem um sentido técnico de martírio. É evidente que também tem outros sentidos, ou seja, quem presencia um acontecimento, um fato. No sentido jurídico, têm-se as testemunhas de acusação, de defesa e outras.

Finalizando, vamos ver o que o Dicionário Bíblico nos diz:

> Seja no testemunho de um fato, seja no testemunho da verdade, o testemunho consiste sempre no empenho de uma pessoa com relação à verdade que atesta. O empenho supremo de uma pessoa com a verdade é a dedicação de sua própria vida. Essa dedicação é implícita no Ap 2,13; 17,6. O emprego do termo grego *martys* (mártir), para indicar aquele que sofre a morte pela fé cristã, aparece no século II d.C. e passou ao uso comum.[7]

---

[6] COENEN, Lothar; BROWN, Colin. *Dicionário Internacional de Teologia do Novo Testamento*. Tradução de Gordon Chown. São Paulo: Edições Vida Nova, 2000. Verbete Testemunha, Testemunho, de L. Coenen, vol. II, p. 2503.

[7] MACKENZIE, Jonh L. *Dicionário Bíblico*. Tradução de Álvaro Cunha *et al*. 4ª ed. São Paulo: Editora Paulus, 1984, p. 928.

A partir do século II, todos os que morreram em defesa da fé cristã, derramando o seu sangue como testemunhas de Jesus Cristo, foram chamados de mártires. Em consequência, naquela época e hoje, entendemos que Estêvão e todos e todas que morreram em defesa da fé, ainda no século I, do qual sobressaem os Apóstolos e Paulo, também os chamamos de mártires.

13. CARTA A TITO

1. CONHECENDO TITO

A Bíblia fala pouquíssimo sobre Tito, e Paulo também. Algumas informações sobre a sua vida:

Catorze anos depois, voltei a Jerusalém com Barnabé e levei também Tito comigo. Nem Tito, meu companheiro, que é grego, foi obrigado a circuncidar-se. Mas para que a verdade do Evangelho continuasse firme entre vocês, em nenhum momento nos submetemos a essas pessoas (Gl 2,1.3.5).

Tito foi com Paulo para a assembleia (concílio?) em Jerusalém.

A carta que Tito mais aparece, sem ser a endereçada a ele, é na segunda aos coríntios. Houve um conflito sério entre Paulo e os coríntios e, em sua primeira carta, nos capítulos 1–4, diante de tantos desafios, conflitos, divisões, Paulo não foi nem um pouco cristão. Aliás, foi duro, insensível, irônico, até certo ponto maldoso, ao se referir aos espiritualistas, o qual

O'Connor chamou de "Gente do Espírito".[1] Até mesmo Timóteo, que havia levado e, possivelmente, lido essa carta aos coríntios, ficou decepcionado com a dureza do amigo Paulo. Isso aumentou ainda mais a divisão na comunidade, e esses "espiritualistas" se tornaram inimigos de Paulo, e algumas pessoas boas e cristãs também se decepcionaram. Resultado: Paulo percebeu que tinha errado, cometido uma besteira e tinha de tentar reverter a situação. Fez oração, humilhou-se, reconheceu o seu erro e escreveu o que poderíamos chamar de "carta das lágrimas". "De fato, quando escrevi, eu estava tão preocupado e aflito que até chorava; não pretendia entristecê-los, mas escrevi para que compreendam o imenso amor que tenho por vocês" (2Cor 2,4). Paulo encarregou Tito a essa importante e fundamental missão, e ele foi decisivo. Paulo estava desesperado e ansioso para receber Tito de volta e saber os resultados de sua "carta das lágrimas", era a sua esperança de reconciliação, ou então quase tudo estava perdido.

Paulo mesmo diz:

> Deus, porém, que consola os humildes, confortou-nos com a chegada de Tito. E não somente com a chegada dele, mas também pelo conforto que ele tinha recebido de vocês. Contou-nos que vocês tinham profundo carinho, que estavam sentidos com o que acontecera e

---

[1] Maiores detalhes sobre esta carta dura e insensível e o conflito com os "espiritualistas", veja a explicação em "Conhecendo melhor Paulo e a comunidade de Corinto" (p. 93-97).

que se preocupavam comigo. E eu fiquei muito contente. [...] Mas, além desse conforto pessoal, eu me alegrei muito ao ver que Tito estava contente devido à maneira como vocês o receberam e o tranquilizaram. Se diante dele eu me havia gabado um pouco de vocês, não tive do que me envergonhar. Assim como sempre dissemos para vocês a verdade, ficou igualmente comprovado que era verdadeiro o elogio que tínhamos feito de vocês para Tito. Ele sente por vocês afeto ainda maior, ao lembrar-se da obediência de vocês e de como o acolheram com temor e tremor (2Cor 7,6-7.13-15).

Com seu jeito de ser, sua competência, seu amor e com seu "dom reconciliador", Tito foi fundamental para restabelecer a paz entre os coríntios e Paulo.

"Por isso, insistimos junto a Tito para que termine essa obra de generosidade, que ele já havia começado entre vocês" (2Cor 8,6). Aqui, refere-se à coleta da solidariedade em favor dos cristãos pobres em Jerusalém.

Graças sejam dadas a Deus, que colocou no coração de Tito o mesmo zelo por vocês. Ele acolheu o meu pedido e, mais apressado que nunca, vai espontaneamente ao encontro de vocês. Quanto a Tito, ele é meu companheiro e colaborador junto a vocês (2Cor 8,16-17.23).

Essa missão da coleta era de imensa responsabilidade, uma obra de amor e solidariedade. Tito, mais uma vez, a realizou com fé, amor e coragem.

Na carta endereçada a Tito, há:

> Paulo, servo de Deus, apóstolo de Jesus Cristo para levar os escolhidos de Deus à fé e ao conhecimento daquela verdade que conduz à piedade e se fundamenta sobre a esperança da vida eterna [...]. A você, Tito, meu verdadeiro filho na fé comum, graça e paz da parte de Deus e de Jesus Cristo, nosso Salvador (1,1-2.4).

Paulo se diz "servo de Deus e apóstolo de Jesus Cristo", e vai pedir a Tito, que está em Creta, para cuidar de organizar algumas coisas e nomear, em cada cidade, presbíteros das igrejas, conforme as suas orientações (cf. 1,5).

2. Diversos conselhos (2,1-15)

Nas cartas pastorais e especificamente agora em Tito, há a questão da "sã doutrina". Temos de tomar muito cuidado e ter bom senso, estar atentos ao que Jesus disse e quis, senão "a própria fé corre o risco de deixar de ser uma adesão à pessoa de Jesus Cristo para se tornar adesão à doutrina estabelecida".[2] E estar atentos também para a questão do tempo e da cultura. A seguir, há vários conselhos em vista de uma realidade e de um contexto diferente de hoje. Seria contraditório e inaceitável

---

[2] CEBI. *Cartas Pastorais e Cartas Gerais*. Roteiros para reflexão XI. São Leopoldo-RS: Cebi. São Paulo: Editora Paulus, 2001, p. 14.

tomar a nossa realidade atual e fazer comparações com aquela época. É um outro mundo, uma outra cultura e outro contexto social. De modo resumido: que os velhos sejam sóbrios, respeitáveis, sensatos, fortes na fé, no amor e na paciência. As mulheres idosas devem comportar-se como convém a pessoas sensatas e serem exemplos para as recém-casadas: amar os seus maridos e filhos, ser ajuizadas, castas, boas donas-de-casa, submissas a seus esposos, a fim de que a palavra de Deus não seja difamada. Os jovens devem ter bom senso. Tito (e os outros pastores) deve ser exemplo de boa conduta, sincero e sério em seu ensino, para os adversários ficarem envergonhados. Os escravos devem ser obedientes a seus senhores, não serem teimosos, nem roubar, devem dar provas de inteira fidelidade, para em tudo honrar a doutrina de Deus, nosso Salvador (cf. 2,2-10).

A graça de Deus se manifestou para a salvação de todos os homens. Essa graça nos ensina a abandonar a impiedade e as paixões mundanas, para vivermos neste mundo com autodomínio, justiça e piedade, aguardando a bendita esperança, isto é, a manifestação da glória de Jesus Cristo, nosso grande Deus e Salvador (2,11-13).

O autor está inserido dentro de um contexto social com normas e regras definidas. Além do mais, ir contra as normas do Império Romano poderia provocar perseguição e morte. Daí os diversos conselhos que, para nós, podem parecer "estranho", principalmente em relação às mulheres e escravos. Possivelmente, foi um outro autor, e não Paulo, quem escreveu as cartas pastorais. Esse modo de entender a maneira de ser das mulheres e dos escravos é muito diferente do modo de pensar de Paulo, em suas cartas autênticas. Você pode analisar a questão de Paulo em relação às mulheres em Romanos e, sobre a escravidão, veja os comentários em Filêmon.

Seguindo o conselho de Paulo: "Examinem tudo e fiquem com o que é bom" (1Ts 5,21).

3. A VERDADEIRA E A FALSA DOUTRINA (3,8-11)

Nas cartas pastorais e nas primeiras comunidades cristãs, vamos perceber muitas dificuldades, controvérsias e discussões sobre a verdadeira fé e o modo de agir. Para o cristianismo nascente, muitas dúvidas existiam, uma vez que Jesus Cristo não deixou normas para serem seguidas, mas nos mostrou, com a sua vida, seus ensinamentos e modo de ser, e que a lei maior é a lei do amor (cf. Mt 22,34-40; Mc 12,28-31; Lc 10,25-28; Jo 15,1-17). Paulo também mostra que o amor a Deus e ao próximo, conforme Jesus disse, é a plenitude da lei (cf. Rm 13,8-10; Gl 5,13-15; 1Cor 12,31–13,13 etc.). Todavia, os primeiros cristãos tiveram vários conflitos com os falsos doutores, hereges, judaizantes e doutrinas falsas, bem como com diversas filosofias, seitas e doutrinas religiosas existentes, principalmente em relação ao culto ao imperador.

Existem falsas doutrinas que contradizem a verdadeira doutrina. A missão de um pastor e servo do Senhor é combater a falsa doutrina e ensinar a verdadeira.

Um servo do Senhor não deve ser briguento, mas manso para com todos, competente no ensino, paciente nas ofensas sofridas. É com suavidade que você deve educar os opositores, esperando que Deus dará a eles não só a conversão, para conhecerem a verdade, mas também o retorno ao bom senso, libertando-os do laço do diabo, que os conservava presos para lhe fazerem a vontade (2Tm 2,24-26).

O que se pede é que o pastor, o servo do Senhor, tem de ser manso e competente no ensino da verdadeira doutrina e tomar as devidas providências, se não houver conversão dos hereges. Os conflitos vinham de fora da comunidade cristã e, em outras vezes, de dentro desta. Referindo-se à verdadeira ou sã doutrina, o autor exorta Tito em toda a sua carta e diz:

Essa é uma palavra digna de fé. Por isso quero que você insista nessas coisas, a fim de que aqueles que acreditam em Deus sejam os primeiros a praticar o bem. Essas coisas são boas e úteis para os homens.
Evite controvérsias inúteis, genealogias, discussões e debates sobre a Lei, porque para nada servem e são vazias. Depois de um primeiro e um segundo conselho, você nada mais tem a fazer com um herege, pois sabemos que um homem desse tipo se perverteu e se entregou ao pecado, condenando-se a si mesmo (3,8-11).

O que é um herege? É alguém ligado a uma heresia. A palavra em grego *haeresis* significa "escolher". Nesse caso, no texto: "'Aquele que faz uma escolha'. [...] Foi tomado da terminologia das escolas filosóficas do tempo. Na linguagem cristã, a 'heresia' (cf. 1Cor 11,19; Gl 5,20) é opção que se realiza entre as verdades da fé, e que gera separatismo e divisões".[3] O modo de proceder é ensinar a verdadeira doutrina para que não haja separação ou divisão na comunidade. Se alguém desviou da verdade, é chamado à conversão e o retorno ao bom senso (cf. 2Tm 2,25-26). Se a pessoa não quiser converter-se e mudar de vida, terá de assumir as consequências de seus próprios atos. A insistência é para os cristãos serem os primeiros a praticarem o bem.

---

[3] BÍBLIA DE JERUSALÉM. São Paulo: Editora Paulus, 2002, p. 2081, letra a (nota de rodapé).

14. CARTA A FILÊMON

1. CONHECENDO FILÊMON

Esta pequena carta, a menor de todas que Paulo escreveu, traz uma grandeza em relação à sua mensagem: todos são iguais pelo amor e, em Jesus Cristo, todos somos irmãos. As novas relações já não devem seguir leis ou estatutos de uma sociedade injusta, mas devem ser vivenciadas a partir do amor do único Senhor: Jesus Cristo. Tampouco essas devem ser ordenadas ou impostas pela autoridade civil ou religiosa e, nesse sentido, Paulo vai fazer um apelo ao amor de Filêmon em relação à libertação do escravo Onésimo:

> Tenho toda a liberdade em Cristo para ordenar o que você deve fazer, mas prefiro pedir por amor [...]. Eu, porém, não quis fazer nada sem que você desse o seu consentimento. Não quero que a sua bondade seja forçada, mas espontânea. Agora você o terá, não mais como escravo, mas muito mais do que escravo: você o terá como irmão querido (8-9.14.16).

Na saudação, Paulo diz: "À igreja que se reúne na casa de Filêmon. Que a graça e a paz da parte de Deus, nosso

Pai, e do Senhor Jesus Cristo estejam com vocês" (2-3). Isso quer dizer que a igreja se reúne na casa dele, e a saudação, como nas outras cartas, é sugestiva: "A *graça* recorda o carinho que Deus tem para com o seu povo. A *paz (shalom)* faz pensar na plenitude dos bens que Deus criou para todos".[1]

Mas onde morava Filêmon? Na carta aos colossenses (cf. Cl 4,7-9), tanto Tíquico quanto Onésimo são irmãos fiéis que vão para Colossas. Paulo diz: "Com ele (Tíquico) vai Onésimo, nosso querido e fiel irmão, e que pertence ao grupo de vocês. Eles contarão tudo o que está acontecendo por aqui" (Cl 4,9). Além do mais, as saudações finais em Filêmon: "Epafras, meu companheiro de prisão em Jesus Cristo, como também de Marcos, Aristarco, Demas, Lucas, meus colaboradores" (23-24) praticamente se repetem em Cl 4,10-17. Tudo isso leva a concluir ou pelo menos deduzir que Filêmon morava em Colossas e era o responsável pela igreja que se reunia em sua casa: "De fato, ouço falar do amor e da fé que você tem para com o Senhor Jesus e em favor de todos os cristãos" (5). Ele foi convertido por Paulo possivelmente em Éfeso: "É claro que não preciso fazer você se lembrar que também você me deve a sua própria vida" (19). Seu nome é sugestivo: *philemon* significa "amoroso" e *onesimos* significa "útil". Parece que Paulo, ao dizer: "Peço-lhe em favor de Onésimo, o filho que eu gerei na prisão. Antes ele era inútil para você, mas

---

[1] BORTOLINI, José. *Como ler a carta a Filêmon*. São Paulo: Editora Paulus, 1995, p. 22.

agora ele é útil, tanto para você, como para mim" (10-11), faz um jogo de palavras para dizer escravo como inútil e filho ou irmão como útil, o que significa o nome Onésimo.

Se Epafras, pelo que tudo indica quando escreve a Filêmon (cf. 23), foi o fundador da comunidade de Colossas e é companheiro de Paulo de prisão, o mesmo se poderia dizer com relação a Onésimo. Se Tíquico e Onésimo são portadores das cartas aos colossenses e a Filêmon e vão juntos para Colossas (cf. Cl 4,7-9), isso quer dizer que as duas cartas foram escritas na mesma época ou muito próximas. De que foram escritas em uma prisão, não há dúvidas. A questão é onde? Em qual prisão? Éfeso, Cesareia ou Roma? Tudo indica que foi escrita na prisão de Éfeso, tanto pelas informações contidas em colossenses, quanto pelos estudos mais recentes, conforme colocamos em "Conhecendo a comunidade de Colossas" (p. 153-156).

Alguns estudiosos de Paulo afirmam que essa carta foi escrita juntamente com a carta aos colossenses (ou até mesmo aos filipenses), por volta dos anos 56-57, quando Paulo estava preso em Éfeso.

Essa pequena carta tem um apelo primoroso para que a escravidão dê lugar à igualdade e à fraternidade em Cristo, em que todos somos irmãos queridos e amados. Esse apelo não é feito por leis ou estatutos, e sim ao coração, ao amor e à bondade. E é esta a grande mensagem cristã: tudo deve ser visto a partir de agora sob o ângulo do amor.

2. A ESCRAVIDÃO, A LIBERDADE E O APELO AO AMOR

O tema principal dessa carta gira em torno da escravidão e da liberdade. O fio condutor é mostrar que a liberdade é essencial; a dignidade e a igualdade são a razão de ser dos cristãos e, para isso, Paulo faz um apelo ao amor e ao coração de Filêmon, da comunidade que se reúne em sua casa e a todos os cristãos, "pois todos vocês, que foram batizados em Cristo, se revestiram de Cristo. Não há mais diferença entre judeu e grego, entre escravo e homem livre, entre homem e mulher, pois todos vocês são um só em Jesus Cristo" (Gl 3,27-28).

A escravidão era uma realidade no Império Romano e muito antes dele. Ela já existia, e é difícil descrevê-la quando e como começou, pois sua origem se perde no tempo, e também esse não é o nosso objetivo. Só para citar um exemplo: "Os filhos de Israel gemiam sob o peso da escravidão, e clamaram; e do fundo da escravidão, o seu clamor chegou até Deus" (Êx 2,23). Deus (Javé) disse a Moisés:

> Eu vi muito bem a miséria do meu povo que está no Egito. Ouvi o seu clamor contra seus opressores e conheço os seus sofrimentos. Por isso, desci para libertá-lo do poder dos egípcios e para fazê-lo subir dessa terra para uma terra fértil e espaçosa, terra onde corre leite e mel (Êx 3,7-8).

Deus não quer a escravidão, e sim a liberdade e a vida plena. Assim, no Império Romano, nos trabalhos de produção agrícola e pecuária, nos portos, nos trabalhos pesados e em diversos outros setores, havia os escravos.

O preço de um escravo era baixo. Por isso, as pessoas ricas podiam ter centenas de escravos trabalhando em seus latifúndios, em suas oficinas ou em pontos de carga e descarga de mercadoria. Quem quisesse ser admirado, deveria possuir ao menos uma dúzia de escravos. O contingente de escravos crescia bastante por causa das conquistas, e continuava a aumentar depois pela procriação, pois os filhos de escravos eram considerados escravos.[2]

Para entender a escravidão no Império Romano, temos de levar em conta o contexto e a realidade da época. Os escravos eram "coisas", "mercadorias", e os seus "donos" tinham poder de fazer com eles o que bem entendessem. Há informações de que o mercado de escravos era um dos mais bem lucrativos e era inconcebível entender a economia romana sem a mão-de-obra escravagista. Os escravos podiam ser objetos sexuais de seus senhores, que também eram donos dos filhos nascidos de seus escravos, pois estes não se casavam legitimamente, só se juntavam, amigavam. Havia também a escravidão por dívidas, ou seja, pessoas livres ou pequenos agricultores que contraíssem dívida, e não conseguissem pagá-la, eram vendidas como escravas para pagamento da mesma.

---

[2] LOHSE, Eduard. *Contexto e Ambiente do Novo Testamento*. Tradução de Hans Jörg Witter. São Paulo: Edições Paulinas, 2000, p. 201.

Mas também havia escravos que ocupavam cargo de confiança, como administradores de seus senhores de latifúndios, casas ou outros bens. Havia, ainda, pedagogos, artistas, músicos, artesãos, atores, e acredite se quiser, até médicos e muitas outras profissões. Um senhor poderia libertar um escravo por gratidão, e muitos escravos conseguiam adquirir uma boa quantidade de dinheiro, e assim pagar ao seu senhor o que ele havia pago por ele, mas, mesmo sendo liberto, ainda tinha algumas obrigações para com o seu senhor.

Depois de Augusto (27 a.C.–14 d.C.), fazer de escravos os prisioneiros de guerra caiu em desuso e,

> no ano 19 a.C., promulgou-se uma lei que submetia a entrega de escravos para lutas com animais selvagens à decisão das autoridades. E o imperador Cláudio (41-54) considerava assassinato a eliminação de escravos velhos ou doentes. Domiciano (81-96), por fim, proibiu a castração forçada de escravos. Acresce-se a isso que, nas cidades e sobretudo em Roma, escravos eram libertados, isto é, com uma certa idade eles podiam contar com a sua libertação.[3]

Vale dizer que, se um escravo fugitivo fosse encontrado, sofreria várias torturas, poderia ser morto, e era costume

---

[3] STEGEMANN, Ekkehard W.; STEGEMANN, Wolfgang. *História Social do Protocristianismo*. Tradução de Nélio Schneider. São Leopoldo-RS: Editora Sinodal. São Paulo-SP: Editora Paulus, 2004, p. 108. As datas entre parênteses foram acrescidas por mim para situar melhor o tempo.

punir esses fugitivos com a crucifixão, embora perder um escravo fosse perder um "bem material".

Feita essa análise, fica mais fácil entender o contexto social da época e por que Paulo, com habilidade de gênio, procura romper as barreiras sociais existentes e mostrar que a fé não é abstrata, mas concreta:

> Tenho toda a liberdade em Cristo para ordenar o que você deve fazer, mas prefiro pedir por amor. [...] Peço-lhe em favor de Onésimo, o filho que eu gerei na prisão. Antes ele era inútil para você, mas agora ele é útil, tanto para você, como para mim. Eu, porém, não quis fazer nada sem que você desse o seu consentimento. Não quero que a sua bondade seja forçada, mas espontânea. Agora você o terá, não mais como escravo, mas muito mais do que escravo: você o terá como irmão querido; ele é querido para mim, e o será muito mais para você, seja como homem, seja como cristão. Assim, se você me considera como irmão na fé, receba Onésimo como se fosse eu mesmo (Fm 8-11.14.16-17).

Esse apelo ao amor, à fé e ao coração foi o modo pelo qual Paulo encontrou para questionar a escravidão e, ao mesmo tempo, para mostrar que, na comunidade cristã, todos são iguais, queridos e irmãos. Deus não quer escravos, quer filhos que se amam e lutam pela dignidade de todos. É evidente que Paulo não tinha poder algum sobre a legislação romana, em relação à escravidão, e nem mesmo a pequena comunidade cristã tinha. A economia do Império Romano era baseada na mão-de-obra dos escravos. Todavia, Paulo mostra a Filêmon e as comunidades cristãs que, em Cristo, todos nós somos iguais e irmãos. Deus não quer que seus filhos e filhas sejam escravos de nada, nem mesmo do pecado e da morte, mas que todos tenham a verdadeira liberdade e a vida em plenitude. O que estamos fazendo para que isso aconteça?

Se alguém ainda duvida se Filêmon recebeu Onésimo como irmão e como cristão, Paulo dá a dica: "Escrevo na certeza de que você vai me obedecer, e sei que fará mais ainda do que estou pedindo" (Fm 21).

15. CARTA AOS ROMANOS

1. O Império Romano[1]

Otávio, ou César Augusto, como ficou conhecido, ou simplesmente Augusto, lançou as bases e alicerçou o que podemos chamar de Império Romano e de todo o seu domínio ao longo de sua duração. Foi um grande estadista e seu governo teve a duração de quarenta e quatro anos (31 a.C. a 14 d.C.). Foi nesse período que nasceu Jesus e também Paulo, muito embora Jesus tivesse sido morto durante o reinado de Tibério (14-37). Fez uma grande reforma política, quando teve um novo modo de taxação, sistema centralizado de tribunais, fiscalização direta, certa autonomia administrativa às cidades e províncias, serviço postal eficiente. Buscava pessoas sábias e experientes para ocuparem cargos importantes e promulgou leis para impedir os males sociais e morais.

---

[1] Para maiores informações sobre o Império Romano, leia o livro de minha autoria: ALBERTIN, Francisco. *O Reino da Justiça e do Amor*. 2ª ed. Aparecida: Editora Santuário, 2005, p. 14-20, bem como os livros: "Pax Romana", "História Social do Protocristianismo", "Contexto e Ambiente do Novo Testamento", "História da Civilização Ocidental", vol. 1 e outros, conforme referências bibliográficas do final deste livro.

Augusto tentou combater a decadência moral em Roma, visando a restaurar a coragem, a justiça e a observância da disciplina e da moral. Muitos romanos não se casavam, procurando exclusivamente o prazer, diversos casais não tinham filhos, o divórcio tornara-se costumeiro e o grande número de escravas e escravos representava uma ameaça contínua à moral. Todos os homens entre 20 e 60 anos e todas as mulheres entre 20 e 50 anos eram obrigados a casar-se. Para promover a família, decretou que pessoas celibatárias não teriam direito a heranças.[2]

Com o Império Romano e seus diversos imperadores, começou também a se espalhar o modo de viver dos romanos, tais como: ginásios, fontes, pórticos, templos, oficinas, escolas. Além, é claro, da ideologia do dominador, na qual, para não ter questionamentos e aceitar as suas imposições, colocaram o famoso "Pão e Circo", o alimento e a diversão para seus dominados não "incomodarem" o poder central de Roma. Outra coisa que fica evidente nos romanos é que eles, "desde os primórdios, tiveram mais interesse pela autoridade e pela estabilidade política do que pela liberdade e pela democracia".[3] Aqui, vale citar os pesados impostos que

---

[2] LOHSE, Eduard. *Contexto e Ambiente do Novo Testamento*. Tradução de Hans Jörg Witter. São Paulo: Edições Paulinas, 2000, p. 192.
[3] BURNS, Edward Mcnall. *História da Civilização Ocidental*. Tradução de Lourival G. Machado, Lourdes S. Machado e Leonel Vallandro. 28ª ed. Rio de Janeiro: Editora Globo, 1986, vol. I, p. 213.

cobravam os romanos por meio de seus agentes de fisco imperial. O imposto da terra atingia todos os produtores e proprietários e era altíssimo, cerca de vinte a vinte e cinco por cento da produção, além do imposto pessoal proporcional à situação econômica de cada um; isso sem falar da infinidade de outros impostos indiretos, como alfândega, impostos de barreira em pontes, nas entradas de cidades e mercados, e outros. O próprio Jesus teceu sua crítica a esse domínio e, principalmente, sobre a *Pax Romana*.

Jesus Cristo veio anunciar o Reino de Deus que tinha por alicerce o amor, a justiça, a misericórdia e a paz. Bem diferente era o reino político que o Império Romano idealizava, um reino de domínio, força, luxo, opressão, injustiça e manutenção da ordem estabelecida, ou seja, a paz. Jesus Cristo foi morto exatamente por criticar a *Pax Romana*. Ele foi considerado "subversivo", um "agitador social" contra a ordem social estabelecida. A paz anunciada por Jesus era diferente da paz do Império Romano. Esta era uma paz "manchada de sangue", pelo uso da violência, morte e injustiça, enquanto aquela, pregada por Jesus, era o amor, a partilha, o serviço, a misericórdia, a solidariedade e a vida em plenitude.

Paulo, também apóstolo de Jesus, anunciou a verdadeira paz. Em seus escritos, conforme vimos, ele anuncia Jesus e seu reino de amor e justiça, e denuncia tudo aquilo que leva à morte, opressão e exploração. Conforme vimos, ainda, ele nasceu durante o governo de Otávio Augusto (27 a.C.–14 d.C.) e viveu durante os governos de Tibério (14-

37), Calígula (37-41), Cláudio (41-54), Nero (54-68). Foi ele quem

> instigou a primeira perseguição contra os cristãos de Roma. Após um terrível incêndio que provocou a destruição de muitas casas (64 d.C.), correu o persistente boato de que o próprio Nero ordenara o incêndio. Para afastar a suspeita de sua pessoa, Nero procurou apontar os culpados. Acusou os cristãos, condenando à pena de morte todos os que eram presos. Tácito escreve: "Na execução, zombavam deles. Foram colocados em peles de animais e dilacerados por cães ferozes. Outros foram crucificados ou condenados à morte pelo fogo, sendo queimados no início da noite como fachos noturnos".[4]

O próprio Paulo foi decapitado no ano 67, em Roma. Depois, tivemos outros imperadores: Galba, Otão, Vitélio (68-69), Vespasiano (69-79), Tito (79-81) e Domiciano (81-96). Este perseguiu muito os cristãos, e tivemos muitos outros imperadores. Calcula-se que Roma tinha por volta de 1 milhão de habitantes.

Tudo indica que "a carta aos romanos foi escrita no final do ano 56 e início de 57, em Corinto, durante os três meses que Paulo aí permaneceu (At 20,2-3), quando Paulo

---

[4] LOHSE, Eduard. *Contexto e Ambiente do Novo Testamento*. Tradução de Hans Jörg Witter. São Paulo: Edições Paulinas, 2000, p. 195.

já estava voltando de sua terceira viagem missionária".[5] Na saudação, temos:

> Paulo, servo de Jesus Cristo, chamado para ser apóstolo e escolhido para anunciar o Evangelho de Deus, que por Deus foi prometido através dos seus profetas nas Santas Escrituras. Esse Evangelho se refere ao Filho de Deus que, como homem, foi descendente de Davi e, segundo o Espírito Santo, foi constituído Filho de Deus com poder, através da ressurreição dos mortos: Jesus Cristo nosso Senhor. Através de Jesus, recebemos a graça de ser apóstolo, a fim de conduzir todos os povos pagãos à obediência da fé, para a glória do seu nome. Entre eles, estão também vocês, chamados por Jesus Cristo.
> Escrevo a todos vocês que estão em Roma e que são amados por Deus e chamados à santidade. Que a graça e a paz da parte de Deus nosso Pai e do Senhor Jesus Cristo estejam com vocês (1,1-7).

Quando escreve aos romanos, por volta de 56-57, Paulo ainda não tinha ido a Roma e nem conhecia a comunidade que lá se reunia. Não sabemos, com precisão, como foi a sua fundação e quem foi o seu evangelizador. Paulo sabe da fama da fé que eles têm e diz que, muitas vezes, pensou em visitá-

---

[5] BORTOLINI, José. *Como ler a carta aos romanos*. São Paulo: Editora Paulus, 1997, p. 8.

los, mas até então fora impedido de ir, quer anunciar também o Evangelho para eles, que estão em Roma (cf. 1,8-15).

E porque há muitos anos tenho grande desejo de visitá-los, quando eu for para a Espanha, espero vê-los por ocasião da minha passagem. Espero também receber ajuda de vocês para ir até lá, depois de ter desfrutado um pouco a companhia de vocês (15,23-24).

Paulo ditou a carta e o copista foi: "Eu, Tércio, que escrevi esta carta, mando saudações no Senhor" (16,22). Possivelmente, a portadora desta carta até Roma foi: "Recomendo a vocês nossa irmã Febe, diaconisa da igreja de Cencreia. Recebam-na no Senhor, como convém a cristãos. Deem a ela toda a ajuda que precisar, pois ela tem ajudado muita gente e a mim também" (16,1-2). Pode ser que Febe também tinha recebido de Paulo a missão de preparar sua viagem até a Espanha, mas isso é só uma hipótese e nem sabemos se, de fato, Paulo foi até a Espanha ou não. Todavia, mostra o carinho, o amor e o respeito de Paulo para com as mulheres. Alguns questionam se o capítulo 16 pertencia à carta original escrita por Paulo aos romanos ou a outra carta, embora ainda existam algumas controvérsias. Tudo indica que esse capítulo pertencia sim à carta aos romanos.

Paulo desenvolve nessa carta muitas questões já explicadas, em partes, aos Gálatas e muitos outros temas abordados em outras cartas de sua autoria.

Outra discussão interminável é se a carta aos romanos é na linha pastoral ou na linha teológica.

> A carta aos Romanos, como todos os escritos de Paulo, não é um tratado de teologia, mas um texto pastoral. [...] Os que pretendem ver nesses escritos a confirmação de dogmas ou de verdades válidas para todos os tempos e lugares afastam-se do objetivo prático e pastoral dos textos de Paulo.[6]

Por outro lado, essa carta

> é mais importante por ser a primeira declaração teológica bem desenvolvida por um teólogo cristão que chegou até nós e que, desde então, exerce incalculável influência na estrutura da teologia cristã – possivelmente a mais importante obra de teologia cristã já escrita.[7]

Alguns autores divergem sobre essa carta: pastoral ou teológica? Pastoral, no sentido de um pastor que cuida do rebanho, das ovelhas, no sentido de comunidade, povo. Jesus mesmo diz: "Eu sou o bom pastor: conheço minhas ovelhas, e elas me conhecem" (Jo 10,14). Evangelizar a partir

---

[6] BORTOLINI,, José. *Como ler a carta aos romanos*. São Paulo: Editora Paulus, 1997, p. 12 e 20.
[7] HAWTHORNE, Gerald F.; MARTIN, Ralph P.; REID, Daniel G. (Org.). *Dicionário de Paulo e suas cartas*. Tradução de Bárbara Theoto Lambert. São Paulo: Editora Vida Nova, Paulus e Loyola, 2008. Verbete Romanos, carta aos, de J. D. G. Dunn, p. 1099.

do cotidiano e dos aspectos práticos da vida. Teológica vem de teologia: *logos* é discurso, estudo, e *theos* é Deus. Um dos maiores estudiosos de Paulo, Dunn, diz:

> prefiro entender o termo "teologia" de maneira mais geral, como discurso a respeito de Deus e tudo o que está envolvido e segue diretamente de tal discurso, incluindo, não em último lugar, a interação entre fé e prática. [...] é esse reconhecimento do seu enraizamento em todas as relações sociais muito reais da época e seu relacionamento com elas que ajuda a mostrar o caráter vivo da teologia de Paulo.[8]

É inútil e perda de tempo ficar discutindo se a carta aos romanos é pastoral ou teológica. Ela é as duas, e isso não é ficar em cima do muro, pois, sem dúvida, ela tem esses dois aspectos. Dunn mesmo diz: "porque tinha em vista diversos propósitos que Paulo achou desejável apresentar tão completamente seu entendimento da boa nova de Cristo, inclusive as conclusões práticas".[9]

Vamos, agora, entrar na essência do pensamento de Paulo, em questões teológicas e pastorais, tendo, por fio condutor, a justificação, passando pela Lei, pela fé, pela justiça, por

---

[8] DUNN, James D. G. *A teologia do apóstolo Paulo*. Tradução de Edwino Royer. São Paulo: Editora Paulus, 2003, p. 34-35.
[9] HAWTHORNE, Gerald F.; MARTIN, Ralph P.; REID, Daniel G. (Org.). *Dicionário de Paulo e suas cartas*. Tradução de Bárbara Theoto Lambert. São Paulo: Editora Vida Nova, Paulus e Loyola, 2008. Verbete Romanos, carta aos, de J. D. G. Dunn, p. 1103.

Adão, Abraão, pecado, judeus, pagãos, batismo, carne, espírito, amor e a essência de uma comunidade cristã, entre outros. É uma carta complexa, sendo que vários estudantes de teologia encontram dificuldades para entendê-la, e até mesmo alguns padres, freiras, fiéis leigos e leigas mais esclarecidos em Bíblia também ficam em dúvida sobre alguns de seus ensinamentos – também eu tenho algumas interrogações. Nossa proposta é fazer uma pequena introdução; o leitor e a leitora, que desejarem aprofundar em Paulo, principalmente em sua carta aos romanos, podem ler "A teologia do apóstolo Paulo", de James D. G. Dunn, e outras obras que estão nas referências bibliográficas. Queremos abordar somente alguns temas e simplificar os argumentos de Paulo para que você possa entender o pensamento desse ilustre missionário que, com a vida, suas palavras e seus escritos, nos deixou pérolas preciosas sobre Jesus Cristo.

2. TODOS PECARAM: PAGÃOS E JUDEUS (1,16–3,20)

Se todos pecaram, tanto os pagãos quanto os judeus, de onde então vem a salvação? De onde vem a justificação? Logo de início, Paulo coloca um alicerce:

> Não me envergonho do Evangelho, pois ele é força de Deus para a salvação de todo aquele que acredita, do judeu em primeiro lugar, mas também do grego. De

fato, no Evangelho a justiça se revela única e exclusivamente através da fé, conforme diz a Escritura: "O justo vive pela fé" (1,16-17).

A partir desse alicerce, Paulo vai fazer toda uma construção literária para mostrar a importância da fé em Jesus Cristo e da Justiça de Deus para a justificação e salvação de todos. Paulo começa descrevendo os diversos pecados dos pagãos (1,18-32) e diz:

> A ira de Deus se manifesta do céu contra toda impiedade e injustiça dos homens, que com a injustiça sufocam a verdade. Eles trocaram a verdade de Deus pela mentira e adoraram e serviram à criatura em lugar do Criador, que é bendito para sempre. Amém. Estão cheios de todo tipo de injustiça, perversidade, avidez e malícia; cheios de inveja, homicídio, rixas, fraudes e malvadezas; são difamadores, caluniadores, inimigos de Deus, insolentes, soberbos, fanfarrões, engenhosos no mal, rebeldes para com os pais, insensatos, desleais, gente sem coração e sem misericórdia (1,18.25.29-31).

Na sequência, coloca diversos pecados dos judeus e comenta a Lei (2,1–3,20).

> Homem, você julga os outros? Seja quem for, você não tem desculpa. Pois, se julga os outros e faz o mesmo que eles fazem, você está condenando a si próprio. Muito bem! Você ensina aos outros e não ensina a si próprio!

Você prega que não se deve roubar, e você mesmo rouba! Você proíbe o adultério, e você mesmo o comete! Você odeia os ídolos, mas rouba os objetos dos templos! Você se gloria da Lei, mas desonra a Deus, transgredindo a Lei! Assim diz a Escritura: "Por causa de vocês, o nome de Deus é blasfemado entre os pagãos" (2,1.21-24).

Paulo continua falando do pecado e diz:

E então? Nós, judeus, somos por acaso superiores? De jeito nenhum! Pois acabamos de provar: todos estão debaixo do império do pecado, tanto os judeus como os gregos. Porque ninguém se tornará justo diante de Deus através da observância da Lei, pois a função da Lei é dar consciência do pecado (3,9.20).

3. A JUSTIFICAÇÃO PELA FÉ E NÃO PELAS OBRAS DA LEI (3,21–4,25)

O fio condutor dessa carta é a justificação. Paulo diz:

Agora, porém, independentemente da Lei, manifestou-se a justiça de Deus, testemunhada pela Lei e pelos Profetas. É a justiça de Deus que se realiza através da fé em Jesus Cristo, para todos aqueles que acreditam. E não há distinção: todos pecaram e estão privados da glória de Deus, mas são justificados (tornam-se justos) gratuitamente pela sua graça, mediante a libertação realizada por meio de Jesus Cristo. Deus o destinou a ser vítima que, mediante seu próprio sangue, nos consegue o perdão, contanto que nós acreditemos (3,21-25).

O que Paulo entende por justiça? Ele escreve em grego, pensa muitas vezes como judeu, portanto em hebraico, e vive na cultura greco-romana. Ora, ele, sendo judeu, está escrevendo aos judeus e pagãos, que estão em Roma, em grego. Como se isso não bastasse, o conceito de justiça é um pouco diferente para os judeus, gregos e romanos. Justiça é *dikaiosyne* e justificar é *dikaioo*, em grego.

> Na visão grega típica de mundo, "justiça" é a ideia ou um ideal em relação ao qual pode ser medido o indivíduo ou a ação individual. [...] No pensamento hebraico "justiça" é conceito mais relacional: "justiça" como o cumprimento de obrigações impostas ao indivíduo pela relação da qual faz parte.[10]

Nessa relação, Deus sempre é fiel, mas o mesmo não se pode dizer do povo. Não vamos entrar muito em detalhes, mas justiça e aliança estão intimamente ligadas como sinais de amor e fidelidade entre Deus, que é bom e justo, e o seu povo, e deste para com Deus e das pessoas em relação ao seu próximo. Já "o entendimento legal romano de justiça

---

[10] DUNN, James D. G. *A teologia do apóstolo Paulo*. Tradução de Edwino Royer. São Paulo: Editora Paulus, 2003, p. 394-395.

era em sentido distributivo: dar a cada um o que lhe cabia, a concessão de recompensas e castigos segundo o mérito".[11]

Feito esse primeiro esclarecimento, surge uma pergunta fundamental para entender a carta aos romanos: o que é justificação para Paulo? Ele mesmo diz que o Evangelho é força de Deus para a salvação de todo aquele que acredita, do judeu e do grego. No Evangelho, a justiça se revela única e exclusivamente através da fé (cf 1,16-17). Evangelho, no sentido da vida, paixão, morte e ressurreição de Jesus, e se todos pecaram, foi mediante ao sangue de Jesus Cristo que todos foram libertados e receberam o perdão de todos os pecados. Mostra "a justiça de Deus que se realiza através da fé em Jesus Cristo, para todos aqueles que acreditam" (3,22). Pelo sangue de Jesus, todos foram libertados, no sentido de resgatados e salvos. E afirma: o homem é justificado pela fé, independentemente das obras da lei. De fato, há um só Deus que justifica, pela fé, tanto os circuncidados como os não circuncidados (cf. 3,28.30). A justificação se dá de maneira gratuita pela bondade de Deus, e não por méritos de homens que praticam a Lei.

Mas Paulo ainda não se dá por satisfeito e cita o exemplo de Abraão, mostrando que "nós dizemos que a fé foi creditada

---

[11] HAWTHORNE, Gerald F.; MARTIN, Ralph P.; REID, Daniel G. (Org.). *Dicionário de Paulo e suas cartas*. Tradução de Bárbara Theoto Lambert. São Paulo: Editora Vida Nova, Paulus e Loyola, 2008. Verbete Justiça, justiça de Deus, de K. L. Onesti, M. T. Brauch, p. 758.

a Abraão como justiça" (4,9) antes da circuncisão e é por isso que ele é o pai de todos os não-circuncidados e circuncidados.

> Não por causa da Lei, mas por causa da justiça da fé, que a promessa de receber o mundo em herança foi feita a Abraão ou à sua descendência. A herança, portanto, vem através da fé, para que seja gratuita e para que a promessa seja garantida a toda a descendência, não só à descendência segundo a Lei, mas também à descendência segundo a fé de Abraão, que é o pai de todos nós (4,13.16).

Resumindo: Abraão é o pai de todos aqueles que têm fé, sejam judeus ou pagãos, e a fé vem antes que a Lei.

"O coração da teologia paulina da justificação era a interação dinâmica entre a 'justiça de Deus' como ação salvífica de Deus para *todos* os que creem e a 'justiça de Deus' como fidelidade de Deus a *Israel,* seu povo escolhido."[12] Já não conta mais a Lei, e sim a fé e a ação salvífica de Deus, a qual se realiza plenamente em Jesus Cristo através de sua vida, morte e ressurreição.

Mas há diferença entre as "obras da lei" e "boas obras"? Sim. É como se fosse alho e olho, não tem nada a ver uma coisa com a outra.

---

[12] DUNN, James D. G. *A teologia do apóstolo Paulo*. Tradução de Edwino Royer. São Paulo: Editora Paulus, 2003, p. 397.

Evidente que Paulo não associou "obras de lei" com "boas obras". Pois "obras de lei" refere-se, primariamente, à obediência, às exigências da lei que a maioria dos judeus compatriotas de Paulo considerava sua razão de ser como Israel na sua diferenciação das nações. Mas ninguém questionava que todos devem praticar o bem.[13]

O que se deve ter sempre à mente é que os judeus praticavam e praticam as obras de piedade, e os cristãos, as boas obras. Paulo mesmo vai dizer: "Quanto a vocês, irmãos, não se cansem de fazer o bem" (2Ts 3,13). E o fio condutor sobre a justificação continua...

4. ADÃO: PECADO E MORTE
CRISTO: GRAÇA E VIDA (5,1–8,39)

Se existe uma vida nova, supõe-se que existia uma outra maneira de viver. De modo resumido, Paulo diz:

> Assim, justificados pela fé, estamos em paz com Deus, por meio de nosso Senhor Jesus Cristo. Por meio dele e através da fé, nós temos acesso à graça, na qual nos mantemos e nos gloriamos, na esperança

---

[13] DUNN, James D. G. *A teologia do apóstolo Paulo*. Tradução de Edwino Royer. São Paulo: Editora Paulus, 2003, p. 421.

da glória de Deus. E a esperança não engana, pois o amor de Deus foi derramado em nossos corações pelo Espírito Santo que nos foi dado. Assim, tornados justos pelo sangue de Cristo, com maior razão seremos salvos da ira por meio dele. Se quando éramos inimigos fomos reconciliados com Deus por meio da morte do seu Filho, muito mais agora, já reconciliados, seremos salvos por sua vida (5,1-2.5.9-10).

Cristo veio trazer para os judeus e pagãos e a todos nós uma vida nova. Mas como era a outra maneira de viver?

Paulo vai fazer uma relação entre Adão, o pecado e a morte com Cristo, a graça e a vida (cf. 5,12-21). Diz que o pecado entrou no mundo através de Adão e com ele veio a morte que atingiu a todos, uma vez que todos pecaram. Assim, pela desobediência de um só homem, todos se fizeram pecadores. Do mesmo modo, pela obediência de um só, que é Jesus Cristo, todos se tornarão justos, pois "onde foi grande o pecado, foi bem maior a graça, para que, assim como o pecado havia reinado através da morte, do mesmo modo a graça reine através da justiça para a vida eterna, por meio de nosso Senhor Jesus Cristo" (5,20-21).

"De fato, já que a morte veio através de um homem, também por um homem vem a ressurreição dos mortos. Como em Adão todos morrem, assim em Cristo todos receberão a vida" (1Cor 15,21-22).

Para Paulo, "Adão personifica a humanidade caída e Cristo personifica a humanidade redimida".[14] Já que Adão personifica a humanidade desobediente, pecadora e que morre, "Deus só podia resolver o problema da 'carne pecaminosa' enviando seu Filho em total solidariedade e identidade com a humanidade na sua existência sob os poderes do pecado e da morte".[15] Paulo, de maneira surpreendente, diz:

> Porque, se através de um só homem reinou a morte por causa da falta de um só, com muito mais razão reinarão na vida aqueles que recebem a abundância da graça e do dom da justiça, por meio de um só: Jesus Cristo. Portanto, assim como pela falta de um só resultou a condenação para todos os homens, do mesmo modo foi pela justiça de um só que resultou para todos os homens a justificação que dá a vida (5,17-18).

Para expressar essa passagem da morte para a vida nova, Paulo fala que:

> Pelo batismo fomos sepultados com ele na morte, para que, assim como Cristo foi ressuscitado dos

---

[14] HAWTHORNE, Gerald F.; MARTIN, Ralph P.; REID, Daniel G. (Org.). *Dicionário de Paulo e suas cartas*. Tradução de Bárbara Theoto Lambert. São Paulo: Editora Vida Nova, Paulus e Loyola, 2008. Verbete Adão e Cristo, de L. J. Kreitzer, p. 23.
[15] DUNN, James D. G. *A teologia do apóstolo Paulo*. Tradução de Edwino Royer. São Paulo: Editora Paulus, 2003, p. 246.

mortos por meio da glória do Pai, assim também nós possamos caminhar numa vida nova. Sabemos muito bem que o nosso homem velho foi crucificado com Cristo, para que o corpo de pecado fosse destruído, e assim não sejamos mais escravos do pecado. De fato, quem está morto, está livre do pecado. Mas, se estamos mortos com Cristo, acreditamos que também viveremos com ele, pois sabemos que Cristo, ressuscitado dos mortos, não morre mais; a morte já não tem poder sobre ele. Porque morrendo, Cristo morreu de uma vez por todas para o pecado; vivendo, ele vive para Deus. Assim também vocês considerem-se mortos para o pecado e vivos para Deus, em Jesus Cristo (6,4.6-11).

Pelo batismo, nós morremos para o pecado e começamos uma vida nova em Jesus. Vimos, em colossenses, a questão do "despojar-se do homem velho e revistir-se do homem novo", em que Paulo utiliza uma imagem secundária do uso das vestes no momento do batismo (cf. Cl 3,5-17). Na cerimônia do batismo, o sentido profundo era receber o dom do Espírito; a conversão e a mudança de vida tinham o simbolismo de tirar as vestes, despojar-se (despir), ficar nu, libertar-se do homem velho e de suas ações e mergulhar numa piscina (nem sempre) para sair do outro lado da água, e receber roupas novas, revestindo-se do homem novo em Cristo. Temos de ter à mente que esse simbolismo era secundário e nem sempre as cerimônias eram iguais. O importante, acima de tudo, era que, pelo batismo, em Jesus Cristo, começavam uma vida nova e uma nova criação.

Para que se tenha essa vida nova, Paulo afirma que:

> [...] já não existe nenhuma condenação para aqueles que estão em Jesus Cristo. A lei do Espírito, que dá a vida em Jesus Cristo, libertou-nos da lei do pecado e da morte. Uma vez que o Espírito de Deus habita em vocês, vocês já não estão sob o domínio da carne, mas sob o Espírito, pois quem não tem o Espírito de Cristo não pertence a ele (8,1-2.9).

Paulo exorta os cristãos para não viverem segundo a carne, mas segundo o Espírito (veja, em detalhes, a explicação de obras da carne e frutos do Espírito, em Gálatas 5,13-26, p. 115-124). Paulo também afirma que: "Todos os que são guiados pelo Espírito de Deus são filhos de Deus. E, se somos filhos, somos também herdeiros: herdeiros de Deus, herdeiros junto com Cristo, uma vez que, tendo participado dos seus sofrimentos, também participaremos da sua glória" (8,14.17).

Uma vez que somos filhos queridos e amados por Deus nessa nova criação em Jesus Cristo, temos de viver de modo novo e "guiados pelo Espírito de Deus". E, assim sendo, nada nos poderá separar do amor de Cristo, nem tribulação, perseguição, espada, perigo, nudez ou qualquer outra coisa, pois em todas essas coisas somos mais do que vencedores por meio daquele que nos amou. Estou convencido de que nem a morte nem a vida, nem os anjos nem os principados, nem o presente nem o futuro, nem os poderes nem as forças das alturas ou das profundidades, nem qualquer outra criatura, nada nos poderá separar do amor de Deus, manifestado em Jesus Cristo, nosso Senhor (8,37-39).

Mas, se Deus nos justificou gratuitamente através da vida, paixão, morte e ressurreição de Jesus Cristo, ele exige de todos uma resposta de fé. Paulo tem "uma grande dor e um contínuo sofrimento no coração" (9,2), pois muitos dos seus irmãos de raça e sangue não aceitam Jesus como o Filho de Deus, o Messias esperado, e não estão abertos para a graça.

Saiba mais...

GRAÇA: a palavra vem do grego *charis*, no sentido de graça, favor, gratidão, bondade, benefício, gratuidade.

Possivelmente, Paulo tem à mente duas palavras de grande significado no Antigo Testamento:

hen (graça, favor) e *hesed* (favor gracioso, bondade amorosa, amor de aliança), ambas denotavam ato generoso de superior a inferior. [...] *charis* está ligada à *ágape* (amor) no centro mesmo do evangelho de Paulo. Mais que quaisquer outras, estas duas palavras, "graça" e "amor", juntas resumem e caracterizam de maneira muito clara toda a sua teologia. [...] Assim para Paulo a "graça" era conceito dinâmico, a poderosa ação de Deus.[16]

Paulo, em uma experiência íntima com Deus, ouve: "Para você basta a minha graça, pois é na fraqueza que a força manifesta todo o seu poder" (2Cor 12,9).

Nas saudações de várias cartas, em diversas passagens, e principalmente em romanos, a graça é a razão de ser de todo o processo de justificação que caracteriza a bondade, o amor e a gratuidade de Deus para com os seus filhos queridos e amados: "Que a graça e a paz da parte de Deus, nosso Pai, e do Senhor Jesus Cristo estejam com vocês" (1,7). "A graça é a bondade, o carinho, o afeto que Deus tem por toda a humanidade, qual pai que ama seus filhos. A paz *(shalom)* faz pensar na reconciliação conseguida mediante a morte e ressurreição de Jesus."[17]

Enfim, graça é graça, dom gracioso; lembra amor, entrega, bondade, carinho e vida nova. "E

---

[16] DUNN, James D. G. *A teologia do apóstolo Paulo*. Tradução de Edwino Royer. São Paulo: Editora Paulus, 2003, p. 372-373 e 375.
[17] BORTOLINI, José. *Como ler a carta aos romanos*. São Paulo: Editora Paulus, 1997, p. 24.

> não há distinção: todos pecaram e estão privados da glória de Deus, mas se tornam justos gratuitamente pela sua *graça,* mediante a libertação realizada por meio de Jesus Cristo" (3,22-24).
>
> Será que confiamos e estamos abertos para que a graça de Deus seja vida em nossas vidas?

5. ISRAEL E JESUS (9–11)

Talvez um dos grandes sofrimentos de Paulo fosse constatar que muitos judeus não aceitavam Jesus como o Messias, o escolhido, o enviado de Deus, para salvar o mundo. Vimos, em suas diversas cartas, que sempre há conflitos com alguns judeus em várias comunidades fundadas por ele, enquanto que os pagãos ou gentios eram mais abertos à conversão e à fé em Jesus Cristo. Em Roma, moravam milhares de judeus, e tudo indica que, no século I, no Império Romano, havia cerca de seis a sete milhões de israelitas.

Paulo diz:

> Eles são israelitas e possuem a adoção filial, a glória, as alianças, a legislação, o culto e as promessas; deles são os patriarcas e deles nasceu Cristo segundo a condição humana, que está acima de tudo. Deus seja bendito para sempre. Amém. A palavra de Deus, porém, não falhou, pois nem todos os nascidos de Israel são Israel, e nem todos os descendentes de Abraão são filhos de Abraão (9,4-7).

Realmente, não deve ter sido fácil para Paulo, como judeu, ter-se convertido a Jesus e ver, agora, muitos de sua raça e sangue não aceitarem o Filho de Deus. Por outro lado, era complicado explicar por que os judeus, povo escolhido, não aceitavam o Evangelho. Paulo vai tentar mostrar, mais uma vez, que "os pagãos, que não procuravam a justiça, alcançaram a justiça, mas a justiça que vem da fé; ao passo que Israel procurava uma lei que lhe trouxesse a justiça, mas não conseguiu essa lei. Por quê? Porque não a procurou através da fé, mas através das obras" (9,30-32).

Paulo mostra que a justiça que eles procuram através das obras da Lei não é a justiça de Deus, "pois o fim da Lei é Cristo, para que todo aquele que acredita se torne justo" (10,4).

Em Deuteronômio, há uma passagem muito importante em relação a Deus (Javé) e o seu povo Israel, sendo que, na aliança entre ambos, Deus propõe ao seu povo a bênção ou a maldição: "Sim, essa palavra está ao seu alcance: está na sua boca e no seu coração, para que você a coloque em prática. Veja: hoje eu estou colocando diante de você a vida e a felicidade, a morte e a desgraça" (Dt 30,14-15). Cabe ao povo escolher a bênção e a vida ou a maldição e a morte. Paulo se serve dessa passagem da Escritura e diz:

> Mas, afinal, o que diz a Escritura? "A palavra está perto de você, em sua boca e em seu coração." Isto é: a palavra da fé que nós pregamos. Pois se você confessa com a sua boca que Jesus é o Senhor, e acredita com seu

coração que Deus o ressuscitou dos mortos, você será salvo. É acreditando de coração que se obtém a justiça, e é confessando com a boca que se chega à salvação (10,8-10).

Impressionante ver o quanto Paulo se esforça no anúncio da palavra de Deus e mostra que é necessário acreditar com o coração, isto é, pela razão, convicção, decidindo-se ser de Jesus, pois coração, em hebraico, é tudo isso, e não somente meros sentimentos. Confessar com a boca que Jesus é o Senhor é o equivalente a fazer a profissão de fé e de vida.

Paulo volta na história, entende que muitas coisas do passado de Israel ainda continuam acontecendo e que "sobrou um resto, conforme a livre escolha da graça. E isso acontece pela graça, e não pelas obras; do contrário, a graça já não seria graça" (11,5-6). E por falar em história,

> podemos falar de dois níveis na teologia de Paulo, de duas histórias, a história de Israel e a história de Cristo. A interação (diálogo) entre essas duas é um dos aspectos mais fascinantes da teologia de Paulo. Uma não domina a outra, como tampouco a última não destrói a primeira. Nenhuma das duas pode dispensar a outra, porque cada qual informa e dá sentido à outra.[18]

---

[18] DUNN, James D. G. *A teologia do apóstolo Paulo*. Tradução de Edwino Royer. São Paulo: Editora Paulus, 2003, p. 817.

O importante é crer de coração e confessar com a boca que Jesus é o Senhor e ressuscitou dos mortos. Pena que apenas um resto de Israel está aberto para o poder da graça e em Jesus Cristo ter uma vida nova!

6. A ESSÊNCIA DA VIDA CRISTÃ (12–15,13)

Paulo começa a descrever em que consiste a nova vida em Jesus Cristo e o modo pelo qual os cristãos e cristãs são chamados a responderem, com a própria vida, ao Deus de amor, misericórdia e vida. Só a título de recapitulação, Paulo vai afirmar que o Evangelho é força de Deus para a salvação de todos: judeus e pagãos, pois todos pecaram, mas se tornam justos gratuitamente pela graça de Deus e pela vida, morte e ressurreição de Jesus Cristo, que, pelo seu sangue, nos libertou e resgatou. A justificação se dá de modo gratuito, e Deus espera, de todos, uma resposta de fé. Todo esse processo de mudança de mentalidade e vida começa com o batismo, com a força do Espírito, e se prolonga por toda a vida. Algumas pessoas, que não entendem bem o processo de justificação em Paulo, por ser de modo gratuito, pois acontece pela fé e não pelas obras da Lei ou qualquer outro mérito humano, sentem-se justificadas e acham que basta ser batizadas para ter início essa vida nova em Jesus, e que não há mais nada a fazer: basta ter fé e cruzar os braços. Será? Isso é um absurdo; ignora-se o verdadeiro ensinamento de Paulo, pois ele mesmo entregou sua vida e morreu defendendo a fé, o amor, a justiça, no que consiste a verdadeira vida nova em Jesus. Se a justificação ocorre pela graça e bondade de Deus em Jesus Cristo de modo gratuito, o batismo implica em um compromisso de uma vida nova: despojar-se do homem velho e revestir-se do homem novo, e, para isso, era e é fundamental entender em que consiste o Evangelho de Jesus e fazer a profissão de fé com a própria vida. É fazer parte da nova criação em Jesus Cristo e lutar por um mundo novo, através do amor, que é a plenitude da lei, da justiça e das boas obras. Vamos entender como isso ocorre na própria vida, tanto na época de Paulo como nos dias de hoje.

> Irmãos, pela misericórdia de Deus, peço que vocês ofereçam os próprios corpos como sacrifício vivo, santo e agradável a Deus. Esse é o culto autêntico de vocês. Não se amoldem às estruturas deste mundo, mas transformem-se pela renovação da mente, a fim de distinguir qual é a vontade de Deus: o que é bom, o que é agradável a ele, o que é perfeito (12,1-2).

Possivelmente, esses dois versículos estão entre os mais discutidos e comentados de Paulo, no que diz respeito à relação fé e vida e lutar por um mundo melhor.

"Oferecer os próprios corpos como sacrifício vivo, santo e agradável a Deus." "Corpos", aqui, está no sentido do ser humano uno, vivente em toda a sua plenitude, e não como na visão dos gregos que separavam o corpo da alma. Além do mais, temos de entender "próprios corpos" não no sentido individual, "embora sendo muitos, formamos um só corpo em Cristo, e, cada um por sua vez, é membro dos outros" (12,5). Paulo também já havia dito: "todos os membros do corpo formam um só corpo. Assim acontece também com Cristo. Pois todos fomos batizados num só Espírito para sermos um só corpo" (1Cor 12,12-13).

Para os judeus, o local mais indicado para se prestar um culto era o Templo, em Jerusalém. A inversão em Paulo, sobre esses aspectos, é radical. Os cristãos não mais precisam do Templo ou santuários, muito menos de sacerdotes ou de matar um animal para o sacrifício. Como assim? "Peço que vocês ofereçam os próprios corpos como sacrifício vivo, santo e agradável a Deus. Esse é o culto autêntico (espiritual) de vocês" (12,1). O sacrifício deve ser vivo, com a própria vida: "Ou vocês não sabem que o seu corpo é templo do Espírito Santo, que está em vocês e lhes foi dado por Deus? Vocês já não pertencem a si mesmos. Alguém pagou alto preço pelo resgate de vocês. Portanto, glorifiquem a Deus no corpo de vocês" (1Cor 6,19-20). Assim sendo,

> a comunidade cristã sucede ao Templo de Jerusalém (Sl 2,6; 40,9), e o Espírito que nela habita torna mais intensa a presença de Deus no meio do povo santo (1Cor 3,16-17; 2Cor 6,16; Ef 2,20-22). Ele inspira assim novo culto espiritual (Rm 1,9; 12,1), pois os fiéis são membros de Cristo (1Cor 6,15-20), que, em seu

corpo crucificado e ressuscitado, se tornou o lugar da presença nova de Deus e do culto novo.[19]

E Paulo mostrou que a Igreja cristã se reunia nas casas, em família, e que a vivência da fraternidade era a prática do amor, e que os ministérios deveriam ser exercidos como serviço, inclusive o de presidir à comunidade (cf. 12,8).

Paulo também exorta os cristãos a não se conformarem às estruturas deste mundo, mas transformarem-se pela renovação da mente, a fim de distinguir qual é a vontade de Deus: o que é bom, o que é agradável a ele, o que é perfeito. Para isso, fala sobre os dons como doação e serviço em vista do bem comum (cf. 12,3-8) e, sobretudo, o modo de agir dentro da comunidade cristã e na sociedade:

> Que o amor de vocês sejam sem hipocrisia: detestem o mal e apeguem-se ao bem; no amor fraterno, sejam carinhosos uns com os outros, [...] sejam fervorosos de espírito, servindo ao Senhor. Sejam alegres na esperança, pacientes na tribulação e perseverantes na oração. Sejam solidários com os cristãos em suas necessidades e se aperfeiçoem na prática da hospitalidade.
> Vivam em harmonia uns com os outros. Não se deixem levar pela mania de grandeza, mas se afeiço-

---

[19] Bíblia de Jerusalém. São Paulo: Editora Paulus, 2002, p. 1986, letra b (nota de rodapé).

em às coisas modestas. [...] Não paguem a ninguém o mal com o mal; a preocupação de vocês seja fazer o bem a todos os homens. Se possível, no que depende de vocês, vivam em paz com todos. Mas, se o seu inimigo tiver fome, dê-lhe de comer; se tiver sede, dê-lhe de beber; [...]. Não se deixe vencer pelo mal, mas vença o mal com o bem (12,9-13.16-18.20-21).

Essa é a transformação e renovação da mente, não agir de acordo com as estruturas injustas de uma sociedade que gira em torno do poder, da exploração e, muitas vezes, até de morte.

O cristão e a cristã têm de viver de acordo com os ensinamentos de Jesus. Dentre outros conselhos, Paulo ainda exorta os cristãos:

> Não fiquem devendo nada a ninguém, a não ser o amor mútuo. Pois, quem ama o próximo cumpriu plenamente a Lei. [...] "Ame o seu próximo como a si mesmo." O amor não pratica o mal contra o próximo, pois o amor é o pleno cumprimento da Lei (13,8-10).

Resumindo: se somos justificados gratuitamente pela fé, se renascemos para uma vida nova pelo batismo, a nossa resposta deve ser de fé, de amor, e vivermos como Jesus viveu e, acima de tudo, amar a Deus e ao próximo.

7. PAULO E AS MULHERES

Um dos temas mais polêmicos abordados pelos comentadores de Paulo é em relação às mulheres. Há de tudo: os que elogiam e os que criticam; uns afirmam que Paulo foi muito além de sua época e que valorizou as mulheres, e outros que ele era machista e antifeminista.

O que dizer sobre Paulo e as mulheres?

Na carta aos romanos, em suas saudações finais, Paulo diz:

> Recomendo a vocês nossa irmã Febe, diaconisa da igreja de Cencreia. Recebam-na no Senhor, como convém a cristãos. Deem a ela toda a ajuda que precisar, pois ela tem ajudado muita gente e a mim também. Saudações a Prisca e Áquila, meus colaboradores em Jesus Cristo, que arriscaram a própria cabeça para salvar a minha vida. A eles não somente eu sou grato, mas também todas as igrejas dos pagãos. Saúdem também a igreja que se reúne na casa deles. [...] Saudações a Maria, que trabalhou muito por vocês (16,1-6).

E a lista de agradecimento e elogios às mulheres continuam por quase todo o capítulo.

Paulo, ao longo das cartas que escreveu, sempre valorizou o trabalho das mulheres em diversas comunidades. Vimos que Febe era diaconisa da igreja de Cencreia e que, possivelmente, foi a portadora da carta de Paulo a Roma, e, até mesmo, podemos pensar que ela tivera a missão de organizar os meios necessários da viagem de Paulo para a Espanha, pois não há consenso se ele realmente foi ou não até aquele país. Seja como for, recebe o elogio de ter ajudado muita gente e também Paulo na missão de evangelizar.

Prisca ou Priscila juntamente com Áquila, seu esposo, acolheram Paulo quando ele foi para Corinto, moraram e trabalharam juntos, pois eram fabricantes de tendas (cf. At 18,1-3). Vão com ele para Éfeso e organizam a igreja até a volta dele (cf. At 18,18-19), e evangelizam Apolo (cf. At 18,24-28). Desta vez, estão novamente em Roma, possivelmente que tivessem sido expulsos na época do Imperador Cláudio (41-54) e agora há uma igreja que se reúne na casa deles; Paulo sempre coloca Prisca em primeiro lugar, sinal que talvez fosse mais dedicada à evangelização do que o esposo.

Mas a grande controvérsia fica por conta desta passagem: "Saúdem Andrônico e Júnia, meus parentes e companheiros de prisão; eles são apóstolos importantes e se converteram a Cristo antes de mim" (16,7). A discussão está em uma mulher ser chamada de apóstolo(a). Muitos diziam que apóstolos eram os doze que estiveram com Jesus.

> Paulo supera essa visão estreita, indo muito além das expectativas: todos os que se comprometem com a evangelização podem ser considerados apóstolos, inclusive as mulheres [...] alguns tradutores do Novo Testamento, escandalizados com o fato de uma mulher ser

chamada de "apóstolo" quiseram ver em Júnia um nome masculino (Júnias).[20]

Além, é claro, dos mais moralistas se escandalizarem ao saber que Paulo ficou preso com uma ou mais mulheres.

Em 1Corintios 11,2-16, Paulo diz: "Mas toda mulher que reza ou profetiza de cabeça descoberta, desonra a sua cabeça" (1Cor 11,5). Dentro da assembleia do culto, em Corinto, é pedido para a mulher cobrir a cabeça com um véu. Aqui, entra o costume, a questão da honra e da vergonha na comunidade de Corinto. Observe que Paulo diz: "A própria natureza ensina que é desonroso para o homem ter cabelos compridos" (1Cor 11,14). Era uma vergonha para o homem ter cabelos compridos, poderia ser visto como homossexual, isto nessa época e em determinada cultura. Da mesma forma a mulher que não usasse o véu e ficasse de cabelos soltos em público era uma desonra e vergonhoso:

> no judaísmo, uma mulher digna nunca soltava seus cabelos em público. Isso era considerado uma desonra tanto para ela, quanto para sua família. Apenas as mulheres acusadas de adultério teriam seus cabelos soltos publicamente como sinal de humilhação (Nm 5,18).[21]

---

[20] BORTOLINI, José. *Como ler a carta aos romanos*. São Paulo: Editora Paulus, 1997, p. 15-16.
[21] CENTRO BÍBLICO VERBO. *O amor jamais passará! Entendendo a primeira carta aos Coríntios*. São Paulo: Editora Paulus, 2008, p. 84.

Além do mais, uma mulher de cabelos soltos em público dava margem para ser interpretada como se estivesse à procura de homem, no sentido de seduzi-lo, e poderia até ser vista como prostituta, nessa época e em determinada cultura. Mas o que interessa ver, em sua essência, é "que Paulo aceitava plenamente a prática existente pelo menos em Corinto de mulheres presidindo a oração e profetizando (1Cor 11,5)".[22] E isso era ser muito progressista na época.

Paulo foi fruto de sua época, como nós também somos hoje. É um absurdo querer pegar os escritos de Paulo, em relação às mulheres, à política como autoridade instituída por Deus (cf. Rm 13,1-7 etc.), sobre a escravidão (cf. Ef 6,5-9 etc.) ou qualquer outro tema, e olhar tudo isso com a visão de mundo que temos hoje; da mesma maneira que, daqui a duzentos anos, se alguém quiser comparar a visão de mundo de seu tempo com a que temos hoje, claro que vai haver muita diferença. Além do mais, temos de tomar muito cuidado, muito mesmo, pois os costumes de um lugar nem sempre eram os mesmos de outros. Ao ler as cartas de Paulo, temos de ver o texto e contexto, a cultura e condicionamentos. Não podemos tomar um ensinamento específico e cultural e achar que ele era válido em todas as comunidades, uma coisa é Corinto, outra é Roma, Filipos etc., e muito menos podemos tomar esses ensinamentos culturais como se fossem válidos para os dias de hoje.

---

[22] DUNN, James D. G. *A teologia do apóstolo Paulo*. Tradução de Edwino Royer. São Paulo: Editora Paulus, 2003, p. 663.

Com referência ao texto: a relação entre marido e mulher e Cristo e a Igreja de Efésios 5,21-33, veja a explicação em detalhes nas páginas 130-136, sendo que o marido é convidado a amar a sua mulher, como Cristo amou a Igreja, um amor profundo e de doação, em que supõe igualdade e amor. Em relação aos diversos conselhos de Paulo sobre a questão do casamento e da sexualidade, veja em 1Cor 7,1-40 explicação nas páginas 69-75.

Quanto aos textos presentes nas Cartas Pastorais (1Tm 2,9-15; 2Tm 3,6-7; Tt 2,3-5) e outras pequenas passagens, consideramos que há muito machismo neles. Leia "Quem escreveu as cartas pastorais?" (p. 171-173). Todavia, tudo indica que, possivelmente, esses textos não são de Paulo, mas de alguém ou algum de seus discípulos, pois não revelam o verdadeiro pensamento de Paulo sobre o assunto.

Em Gálatas, Paulo diz: "Quando, porém, chegou a plenitude do tempo, Deus enviou o seu Filho. Ele nasceu de uma mulher, submetido à Lei para resgatar aqueles que estavam submetidos à Lei, a fim de que fôssemos adotados como filhos" (Gl 4,4-5). Tanto a mulher quanto o homem são iguais e fazem parte do plano de amor de Deus pela humanidade e de uma nova criação.

O fato de a igreja cristã reunir nas casas foi fundamental para a valorização das mulheres, pois, nas sinagogas, o que contavam eram os homens.

A mulher é fundamental na casa, onde

pode acolher as pessoas, coordenar e presidir a igreja doméstica que se reúne sob seu teto. É, ao que tudo indica, o caso de Lídia em Filipos (At 16,11-16). Pode-se afirmar que sua visão acerca das mulheres era culturalmente condicionada (como a nossa). Ele, contudo, deu passos de gigante dentro de um contexto claramente patriarcal e de exclusão da mulher.[23]

Paulo valorizou muito as mulheres, seus dons e trabalhos em relação à evangelização. Em muitos aspectos, foi além de sua época; em outros, foi condicionado pela cultura e visão de mundo, da mesma forma que também afirmou que Jesus Cristo era o único Senhor e, com isso, ia contra os princípios políticos de sua época, sendo que o Imperador era o senhor. Claro que Paulo pede para os cristãos comportarem-se de acordo com as normas sociais da época, senão poderiam ser perseguidos e mortos; muitos conselhos, às vezes, eram em vista da sobrevivência. Da mesma forma que também criticou a questão da escravidão na carta a Filêmon, quando mostrou que a verdadeira liberdade se dá em Jesus Cristo, faz um apelo ao coração dele pela liberdade de Onésimo, mostrando que todos, em Cristo, são irmãos queridos e amados. Esse apelo não é feito por leis ou estatutos, e sim ao coração, ao amor e à

---

[23] BORTOLINI, José. *Introdução a Paulo e suas cartas*. São Paulo: Editora Paulus, 2001, p. 97-98.

bondade. E é esta a grande mensagem cristã: tudo deve ser visto a partir de agora sob o ângulo do amor.

Por isso e por muitas outras coisas, conforme já vimos ao longo deste livro, podemos dizer que em partes, pois condicionado pela sua cultura e tempo, Paulo quebrou muitas barreiras sociais, raciais e de gênero em sua época. Ele foi além de seu tempo, valorizou as mulheres e, de seu modo e dentro de limitações, procurou mostrar que o nosso Deus é o Deus da vida, do amor, da justiça e da igualdade. Seu princípio é questionador: "Pois todos vocês, que foram batizados em Cristo, se revestiram de Cristo. Não há mais diferença entre judeu e grego, entre escravo e homem livre, entre homem e mulher, pois todos vocês são um só em Jesus Cristo" (Gl 3,27-28). Resta-nos perguntar: será que a exemplo de Paulo, mesmo tendo os condicionamentos culturais de nossa época, estamos lutando para irmos além dela, na questão do trabalho das mulheres na vida da igreja, na vida política e nas diversas formas de escravidão? Estamos quebrando as barreiras sociais, raciais e de gênero? Quais mulheres tinham ou têm mais espaço na igreja cristã: as da época de Paulo ou as de hoje?

REFERÊNCIAS BIBLIOGRÁFICAS

ALBERTIN, Francisco. *Bem-aventuranças de Jesus no Evangelho de Mateus*. 3ª ed. Aparecida: Editora Santuário, 2002.

_____. *Explicando o Antigo Testamento*. 2ª ed. Aparecida: Editora Santuário, 2007.

_____. *Explicando o Novo Testamento – Os Evangelhos de Marcos, Mateus, Lucas e Atos dos Apóstolos*. Aparecida: Editora Santuário, 2008.

_____. *O Reino da Justiça e do Amor*. 2ª ed. Aparecida: Editora Santuário, 2005.

BÍBLIA DE JERUSALÉM. São Paulo: Editora Paulus, 2002.

BÍBLIA TRADUÇÃO ECUMÊNICA (TEB). São Paulo: Loyola, 1994.

BÍBLIA. Edição pastoral. 8ª ed. São Paulo: Edições Paulinas, 1993.

BORTOLINI, José. *Como ler a carta a Filêmon*. São Paulo: Editora Paulus, 1995.

_____. *Como ler a carta aos colossenses*. São Paulo: Editora Paulus, 1996.

_____. *Como ler a carta aos filipenses*. São Paulo: Edições Paulinas, 1991.

_____. *Como ler a carta aos romanos*. São Paulo: Editora Paulus, 1997.

_____. *Introdução a Paulo e suas cartas*. São Paulo: Editora Paulus, 2001.

BURNS, Edward Mcnall. *História da Civilização Ocidental*. Tradução de Lourival G. Machado, Lourdes S. Machado e Leonel Vallandro. 28ª ed. Rio de Janeiro: Editora Globo, 1986, vol. I.

CARREZ, M.; DORNIER, P.; DUMAIS, M.; TRIMAILLE, M. *As cartas de Paulo, Tiago, Pedro e Judas*. Tradução de Benôni Lemos. 2ª ed. São Paulo: Editora Paulus, 1987.

CARTER, Warren. *O Evangelho de São Mateus: comentário sociopolítico e religioso a partir das margens*. Tradução de Walter Lisboa. São Paulo: Editora Paulus, 2002.

CEBI. *Cartas Pastorais e Cartas Gerais*. Roteiros para reflexão XI. São Leopoldo-RS: Cebi. São Paulo: Editora Paulus, 2001.

_____. *Evangelho de Lucas e Atos dos Apóstolos*. Roteiros para reflexão VIII. 4ª ed. São Paulo: Editora Paulus e Cebi, 2005.

_____. *Paulo e suas cartas*. Roteiros para reflexão X. São Leopoldo-RS: Cebi. São Paulo: Editora Paulus, 2000.

CELAM. Documento de Aparecida. *Texto conclusivo da V Conferência Geral do Episcopado Latino-Americano e do Caribe*. Brasília: Edições CNBB. São Paulo: Editora Paulus e Edições Paulinas, 2007.

CENTRO BÍBLICO VERBO. *No caminho das comunidades*. São Paulo: Editora Paulus, 2000, vol. 1.

_____. *No caminho das comunidades*. São Paulo: Editora Paulus, 2001, vol. 2.

_____. *O amor jamais passará! Entendendo a primeira carta aos Coríntios*. São Paulo: Editora Paulus, 2008.

COENEN, Lothar; BROWN, Colin. *Dicionário internacional de teologia do Novo Testamento*. Tradução de Gordon Chown. São Paulo: Edições Vida Nova, 2000, vol. II.

COMBY, Jean. *Para ler a história da Igreja I – das origens ao século XV*. "O sacerdote e o casamento". Tradução de Maria Stela Gonçalves. São Paulo: Editora Loyola, 1993.

CONFERÊNCIA NACIONAL DOS BISPOS DO BRASIL. *Diretrizes Gerais da Ação Evangelizadora da Igreja no Brasil 2008-2010*. Brasília: Edições CNBB 4, 2008.

_____. *Evangelização e Missão Profética da Igreja (doc. 80)*. São Paulo: Edições Paulinas, 2005.

DUNN, James D. G. *A teologia do apóstolo Paulo*. Tradução de Edwino Royer. São Paulo: Editora Paulus, 2003.

FERREIRA, Aurélio Buarque de Holanda. *Dicionário Aurélio Básico da Língua Portuguesa*. Rio de Janeiro: Ed. Nova Fronteira S.A., 1988.

FERREIRA, Joel A.; ALBERTIN, Francisco; TEZZA, Maristela. "O Messias de Quelle, Marcos e Mateus", in *Fragmentos de Cultura*. Goiânia, vol. 16, n. 5/6, mai./jun. 2006.

HAMMAN, A. *Santo Agostinho e seu tempo*. Tradução de Álvaro Cunha. São Paulo: Edições Paulinas, 1989.

HARRIS, R. Laird; ARCHER, Gleason L. Júnior; WALTKE, Bruce K. *Dicionário Internacional de Teologia do Antigo Testamento*. Tradução de Márcio Loureiro Redondo; Luiz A. T. Sayão; Carlos Osvaldo C. Pinto. São Paulo: Edições Vida Nova, 1998.

HAWTHORNE, Gerald F.; MARTIN, Ralph P.; REID, Daniel G. (Org.). *Dicionário de Paulo e suas cartas*. Tradução de Bárbara Theoto Lambert. São Paulo: Editora Vida Nova, Paulus e Loyola, 2008.

LOHSE, Eduard. *Contexto e Ambiente do Novo Testamento*. Tradução de Hans Jörg Witter. São Paulo: Edições Paulinas, 2000.

MACKENZIE, Jonh L. *Dicionário Bíblico*. Tradução de Álvaro Cunha *et al.*; 4ª ed. São Paulo: Editora Paulus, 1984.

MATEOS, Juan; CAMACHO, Fernando. *Evangelho, figuras & símbolos*. São Paulo: Edições Paulinas, 1992.

MESTERS, Carlos. *Paulo Apóstolo – um trabalhador que anuncia o Evangelho*. 10ª ed. São Paulo: Editora Paulus, 2008.

MORIN, E. *Jesus e as estruturas de seu tempo*. 5ª ed. São Paulo: Edições Paulinas, 1988.

MURPHY-O'CONNOR, Jerome. *Paulo de Tarso: história de um apóstolo*. Tradução de Valdir Marques. São Paulo: Editora Paulus e Loyola, 2007.

MYERS, Ched. *O evangelho de São Marcos.* Tradução de I. F. L. Ferreira. Coleção Grande comentário bíblico. São Paulo: Edições Paulinas, 1992.

PAPA BENTO XVI. *Revista vida pastoral.* São Paulo: Editora Paulus, ano 49, n. 260, mai./jun. 2008.

PRADO, José Luiz Gonzaga do. *A missa: da última ceia até hoje.* São Paulo: Editora Paulus, 2008.

RICHARD, Pablo. "A origem do cristianismo em Antioquia", in *Ribla*, Petrópolis/São Leopoldo: Ed. Vozes e Sinodal, n. 29, 1998.

SAINT-EXUPÉRY, Antoine de. *O Pequeno Príncipe.* Tradução de Dom Marcos Barbosa. 48ª ed. Rio de Janeiro: Editora Agir, 2002.

SALDARINI, Anthony J. *A comunidade judaico-cristã de Mateus.* Tradução de Bárbara Theoto Lambert. São Paulo: Edições Paulinas, 2000.

STEGEMANN, Ekkehard W.; STEGEMANN, Wolfgang. *História Social do Protocristianismo.* Tradução de Nélio Schneider. São Leopoldo/RS: Editora Sinodal. São Paulo/SP: Editora Paulus, 2004.

WENGST, Klaus. *Pax Romana pretensão e realidade.* São Paulo: Edições Paulinas, 1991.

ÍNDICE DE TEMAS

SEGUE OS PRINCIPAIS TEMAS ABORDADOS POR SÃO PAULO E AS DEVIDAS PÁGINAS CONFORME O LIVRO ATUAL, EM ORDEM ALFABÉTICA.

* Amor 61-91
* Assembleia de Jerusalém 108-112
* Batismo 164-170
* Bíblia/Sagradas Escrituras 192-197
* Carta aos
  1 Tessalonicenses 39-48
  2 Tessalonicenses 49-55
  1 Coríntios 57-91
  2 Coríntios 93-104
  Gálatas 105-124
  Efésios 125-136
  Filipenses 137-152
  Colossenses 153-170
  1 Timóteo 175-189
  2 Timóteo 191-204

Tito 205-212
Filêmon 213-220
Romanos 221-256
Carta das lágrimas 95-96
Cartas Pastorais 171-173
* Casamento: marido e mulher 69-75; 130-136
* Ceia do Senhor/Eucaristia 77-84
* Cidades/Regiões
Tessalônica 40
Corinto 57-60
Galácia 105-108
Éfeso 126
Filipos 140-141
Colossas 153-154
Império Romano/Roma 221-226
* Coleta solidária 100-102
* Conversão de Paulo 17-20
* Cruz 63-67; 144-145
* Despojar-se do homem velho e revestir-se do homem novo 160-164
* Dons e carismas 84-86; 178-179
* Escravos/Escravidão 216-220
* Fraco/forte 102-104
* Graça 236-242
* Hinos Cristológicos 142-147; 157-160
* Igreja 128-136
* Justificação/Justiça/fé e obras da Lei 229-240; 242-244

Índice de Temas

* Liberdade 114-115; 216-220
* Ministérios (Epíscopos, Presbíteros, Diáconos) 177-185
* Mulheres 69-72; 130-136; 250-256
* Obras da carne e frutos do Espírito:
  corpo/carne e alma/espírito 115-124
* Parusia 44-47
* Pecado 229-238
* Prisão/presos 126-127; 149-152
* Ressurreição 86-91
* Saiba Mais...
  Batismo 164-170
  Celibato 185-188
  Circuncisão 112-113
  Corpo/carne e alma/espírito 119-124
  Eucaristia 83-84
  Graça 240-242
  Luz/trevas, dormir/acordar 47-48
  Martírio 200-204
* Sexualidade/virgindade 69-75
* Sofrimento e tribulação 97-100
* Trabalho 51-55
* Viagens de Paulo e mapas 22-34
* Vida e história de Paulo 13-37

ÍNDICE GERAL

Introdução – 7

1. A vida e a obra de Paulo – 13
  1. Paulo, o judeu – 13
  2. O encontro de Paulo com Jesus: A conversão – 17
  3. Paulo, o cristão – 21
  4. Paulo, o missionário – 22
    4.1. Principais acontecimentos da primeira viagem (46-48) – 25
    4.2. A segunda viagem missionária: A palavra de Deus chega até a Europa (49-52) – 29
    4.3. A terceira viagem: Organizar e consolidar a fé em Jesus Cristo (53-57/58) – 32
  5. Paulo era casado ou solteiro? – 34
  6. A morte de Paulo – 36

2. Primeira Carta aos Tessalonicenses – 39
  1. Conhecendo a comunidade de Tessalônica – 39
  2. Primeiro retrato de uma comunidade cristã – 41
  3. A parusia – 44

3. **Segunda Carta aos Tessalonicenses** – 49
   1. A perseverança do coração – 50
   2. A importância do trabalho – 51

4. **Primeira Carta aos Coríntios** – 57
   1. Conhecendo a comunidade de Corinto – 57
   2. O caminho é o amor – 61
      - 2.1. O amor tudo suporta:
        A questão da cruz (1,17-25) – 63
      - 2.2. O amor não é invejoso:
        Sobre a divisão na comunidade (3,3-9) – 67
      - 2.3. O amor nada faz de inconveniente:
        A questão da sexualidade (7,1-40) – 69
      - 2.4. O amor é prestativo:
        A verdadeira evangelização (9,15-23) – 75
      - 2.5. O amor tudo crê:
        A eucaristia (11,17-34) – 77
      - 2.6. O amor não procura seus próprios interesses:
        A questão dos dons (12,4-11) – 84
      - 2.7. O amor jamais passará:
        A ressurreição (15) – 86

5. **Segunda Carta aos Coríntios** – 93
   1. Conhecendo melhor Paulo e a comunidade de Corinto – 93
   2. O sofrimento e a consolação (1,3-11) – 97
   3. Coleta solidária (9,5-9) – 100
   4. Quando sou fraco, então é que sou forte (11,16-28; 12,9-12) – 102

6. **Carta aos Gálatas** – 105
   1. Conhecendo as comunidades da Galácia – 105
   2. Assembleia em Jerusalém e Paulo como Apóstolo dos Gentios (2,1-10) – 108

3. A liberdade em Jesus (5,1-6) – 114
4. Obras da carne e frutos do Espírito (5,13-26) – 115

7. Carta aos Efésios – 125
1. Conhecendo a comunidade de Éfeso – 125
2. A construção do novo povo de Deus (2,11-22) – 128
3. A relação entre marido e mulher e Cristo e a Igreja (5,21-33) – 130

8. Carta aos Filipenses – 137
1. Conhecendo a comunidade de Filipos – 137
2. Ter os mesmos sentimentos de Jesus Cristo: Hino (2,6-11) – 142
3. O prêmio maior é Jesus (3,4-14) – 148
4. "Tudo posso naquele que me fortalece" (4,10-14) – 149

9. Carta aos Colossenses – 153
1. Conhecendo a comunidade de Colossas – 153
2. Hino cristológico (1,15-20) – 157
3. Despojar-se do homem velho e revestir-se do homem novo (3,5-17) –160

10. As Cartas Pastorais – 171
1. Quem escreveu as cartas pastorais? – 171

11. Primeira Carta a Timóteo – 175
1. Conhecendo Timóteo – 175
2. Os ministérios na Igreja (3,1-13; 5,17-22) – 177
3. A riqueza e a partilha (6,17-19) – 188

12. Segunda Carta a Timóteo – 191
   1. "Ao amado filho Timóteo" – 191
   2. As Sagradas Escrituras (3,14–4,2) – 192
   3. "Combati o bom combate, terminei a corrida, conservei a fé" (4,6-8) – 197

13. Carta a Tito – 205
   1. Conhecendo Tito – 205
   2. Diversos conselhos (2,1-15) – 208
   3. A verdadeira e a falsa doutrina (3,8-11) – 210

14. Carta a Filêmon – 213
   1. Conhecendo Filêmon – 213
   2. A escravidão, a liberdade e o apelo ao amor – 216

15. Carta aos Romanos – 221
   1. O Império Romano – 221
   2. Todos pecaram: pagãos e judeus (1,16–3,20) – 229
   3. A justificação pela fé e não pelas obras da Lei (3,21–4,25) – 231
   4. Adão: Pecado e morte Cristo: Graça e vida (5,1–8,39) – 235
   5. Israel e Jesus (9–11) – 242
   6. A essência da vida cristã (12–15,13) – 245
   7. Paulo e as mulheres – 250

Referências bibliográficas – 257

Índice de Temas – 263

Caríssimo(a) leitor(a):

Gostaríamos de contar com suas sugestões, críticas ou comentários a respeito desta obra.
Envie e-mail para:
franciscoalbertin@yahoo.com.br

Este livro foi composto com as famílias tipográficas Times e Times New Roman e impresso em papel Offset 63g/m² pela **Gráfica Santuário.**